# SEIDENSTRASSE

# SEIDENSTRASSE

Jean-Pierre Drège
(Text)

Emil M. Bührer
(Konzeption und Gestaltung)

vgs

CIP-Kurztitelaufnahme der
Deutschen Bibliothek

Seidenstraße / Jean-Pierre
Drège (Text).
Emil M. Bührer (Konzeption u.
Gestaltung). [Aus d. Franz. von
Annette Lallemand].
— 1. Aufl. —
Köln: vgs, 1986.
    ISBN 3-8025-2168-4
NE: Drège, Jean-Pierre [Bearb.]

Aus dem Französischen von
Annette Lallemand, Wien

Projektleitung:
Nebojsa-Bato Tomasević

Redaktionelle Leitung:
Dr. Massimo Giacometti

Redaktion der deutschsprachi-
gen Ausgabe: Michael Schweins,
vgs Köln

Kartographie: Touring Club
Italiano, Mailand

© 1986 für Fotos:
Nippon Hoso Kyokai und
Nippon Hoso Shuppan Kyokai,
Tokio

© 1986
Motovun (Switzerland)
Co-Publishing Company Ltd.,
Luzern und Jugoslovenska
Revija, Belgrad

© 1986 für die deutschsprachige
Ausgabe:
vgs Verlagsgesellschaft, Köln
Alle Rechte vorbehalten

Abdruck (auch auszugsweise)
sowie alle sonstigen Wiedergabe-
verfahren nur mit vorheriger
schriftlicher Genehmigung des
Herausgebers.

Reproduktionen: SEBI, Mailand
Druck und Verarbeitung:
Sagdos, Brugherio/Mailand

Schutzumschlag:
Papen + Hansen, Köln

Satz: Fotosatz Scanner,
5309 Meckenheim

1. Auflage September 1986
2. Auflage November 1986

ISBN 3-8025-2168-4

Printed in Italy

# INHALT

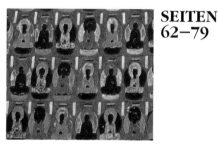

Die Seidenstraße, über die nicht nur Waren transportiert, sondern auch Ideen, Techniken und Religionen ausgetauscht wurden, ist das Symbol der Verbindung zwischen Orient und Okzident.

Auf der Reise von China nach Italien lernen wir im Laufe einer faszinierenden Reise die Vielfalt des Austauschs und die unterschiedlichsten Landschaften und Kulturen kennen.

## Die Taklamakan: Die Nordroute

Gaochang. Jiaohe. Die Turfan-Senke. Die Höhlen der 1000 Buddhas von Bezeklik. Nanjiang, die Eisenbahnlinie zur »Südgrenze«. Kutcha. Subashi: Die Klöster von Zhaohuli. Die Salzwasserschluchten von Yanshui. Die Höhlen der 1000 Buddhas von Kizil. Das Grabmal der »Duftenden Gattin«.

## Die Route nach Samarkand

Die Dschungarei. Die Nomaden des Ili-Tales. Taschkent. Der Teppichmarkt. Ferghana und seine »Himmelsrösser«. Das Pamir-Plateau. Der Zoroastrismus. Samarkand und seine Fayencen. Merv, ehemalige Hauptstadt der Margiane.

## Gedankengut und Sachgüter

Die großen Reisenden. *Der Mönch Faxian. Xuanzang, der Pilger par excellence. Die Botschaften des Orients. Die Familie Polo.* Die Handelswege. *Die Transportmittel und die Waren.* Die Glaubensrouten. Kunst und Moden.

## Auf den Spuren des Buddha

Tiaoyang, der »Hammel-Streit«. Minderheiten im Pamir. Der Zug durch den hohen Pamir. Ladakh. Im Herzen von Gandhara. Der Taj Mahal. Der Ganges, heiliger Fluß der Hindus. Der Diamantenthron unter dem Baum des Erwachens.

## Von Mesopotamien nach Konstantinopel

Hatra, Hochburg der Parther. Der Euphrat, historische Verbindungsstraße. Ziggurat, Haus der Götter Mesopotamiens. Dura Europos. Die Beduinen Syriens. Das Leben der Nomaden. Palmyra. Die Reiterspiele Kleinasiens. Die »Feenkamine« von Kappadozien. Ein Kokonmarkt.

## Die wiederentdeckte Straße

*Die Eroberung durch die Russen. Die Reisenden des 19. Jahrhunderts. Geographische und archäologische Missionen. Sir Aurel Stein. Ôtani Kuzui. Albert von le Coq. Albert Grünwedel. Die Manuskripte von Dunhuang. Paul Pelliot. Langdon Warner.*

## Vom Pamirgebirge nach Bagdad

Die Steilküste von Bamiyan. Die Zitadelle von Bam. Die Ruinen von Ghagha-shar. Die Paläste der Perserkönige. Die Kashgai von Fars. Kamele, Karawanen, Karawansereien. Schiiten und Anhänger des Zoroastrismus. Isfahan und seine berühmten Teppiche.

## Von Konstantinopel nach Rom

*Konstantinopel.* Die Haghia Sophia. An der Grenze Asiens. Der große Basar. Entlang der griechischen Grenze. Ankunft in Italien. Die *Via Appia. Ostia.* Venedig, die Heimatstadt Marco Polos.

# VORWORT

Es war Marco Polo, der zum erstenmal einer breiten Öffentlichkeit im Abendland über die Seidenstraße berichtete. Doch als der Venezianer vor 700 Jahren diesen berühmtesten aller Karawanenwege entlang zog, hatte die Seidenstraße ihre Glanzzeit lange hinter sich. Bald danach geriet sie in Vergessenheit. Als Anfang des vorigen Jahrhunderts vage Gerüchte über untergegangene große Kulturen im Kernland der alten Seidenstraße in den Westen drangen, hielten die Archäologen diese lange für Phantastereien. Gerade 30 Jahre ist es her, da reiste noch ein hoher chinesischer Beamter, der nach Urumtschi versetzt worden war, zunächst per Schiff über Japan nach Wladiwostok, dann mit der Transsibirischen Eisenbahn durch die Sowjetunion nach Westen, bis er schließlich per Lastwagen und Pferd nach Monaten sein Ziel erreichte.

Heute dauert ein Flug im Düsen-Jet von Peking in die Gegend der alten Seidenstraße nur wenige Stunden, moderne Straßen und eine regionale Fluglinie verbinden Städte und Oasen, und um seine Sicherheit braucht kein Besucher zu fürchten.

Die Reise lohnt. Nirgendwo sonst, außer hier im Zentrum der früheren Seidenstraße (die ihren Namen dem deutschen Geografen Ferdinand von Richthofen verdankt), haben sich dank der Weltabgeschiedenheit und des trocknen Wüstenklimas am Rande der Taklamakan so viele Zeugnisse erhalten, die belegen, daß Ostasien, Westasien, Südasien und das Mittelmeer vor zwei Jahrtausenden jahrhundertelang nicht nur ihre wertvollsten Produkte untereinander tauschten, sondern daß auch Religionen und Künste, Erfindungen und Erfahrungen sich entlang der Seidenstraße und über sie hinweg mischten und ausbreiteten.

Doch sollte eine Reise in die Vergangenheit auch nicht den Blick in Gegenwart und Zukunft trüben. Nicht nur alte Kulturen, auch wertvolle Rohstoffe, Erze und Öl, harren unter dem Wüstensand und in den Schluchten der Gebirge der Erforschung. Die kommunistische Führung in Peking hat bereits verkündet, daß sich Ende dieses oder Anfang des nächsten Jahrhunderts der Schwerpunkt des wirtschaftlichen Aufbaus in China nach Sinkiang verlagern werde.

Auch wer sich selbst nicht auf den Weg dorthin machen kann, vermag sich der Faszination der Seidenstraße hinzugeben. In der ZDF-Fernsehserie sind Millionen Zuschauer in Gedanken mitgereist. Neue Bücher, wie dieses hier, befriedigen das neuerwachte Interesse.

Wer London, Westberlin, Paris, Stockholm oder Leningrad besucht, kann in den dortigen Museen Funde von der Seidenstraße bewundern — und sich zugleich Gedanken machen, was die Chinesen davon halten mögen, daß ausländische Forscher und Abenteurer so viele Schätze von der Seidenstraße außer Landes gebracht haben. Wer nach Venedig kommt, kann auf den Spuren von Marco Polo wandern.

Als vor wenigen Jahrzehnten Europas Kolonialmächte noch über weite Teile Ostasiens herrschten, schrieb Rudyard Kipling sein berühmtes Credo, Ost und West würden einander nie verstehen: East is East, and West is West, and never the Twain shall meet. Kipling irrte. Die Wahrheit, nämlich das Gegenteil, ist an der Seidenstraße zu besichtigen. Was die Vergangenheit lehrt, sollte erst recht für die Zukunft gelten.

*Gerhard Dambmann*

*Auf den Karawanenwegen des Orients, die vom Mittelmeer bis in den Norden Chinas führten, war das Kamel das ideale Transportmittel, da es Sandwüsten und Ödland zu durchqueren galt.*

# ABEN-TEUER SEIDEN-STRASSE

## CHINA UND DIE WESTLÄNDER

*Die Raubüberfälle der Xiongnu waren einer der Gründe für die Erschließung der Seidenstraße: Zhang Qians Reise nach Zentralasien hatte ursprünglich nur den Zweck, Verbündete gegen sie zu gewinnen.*

Wie die Legende berichtet, verweilte König Mu im 10. Jahrhundert vor unserer Zeitrechnung auf einer Reise gen Westen bei Xiwangmu, der »Königinmutter des Westens«. Alfred Forke hat – zweifelsfrei zu Unrecht – in dieser Xiwangmu die Königin von Saba gesehen. Aber selbst wenn diese Legende auf einer Verschmelzung vielfältiger, mehr oder minder begründbarer Beziehungen beruht, so verweist sie doch auf den Mythos der Terra incognita, die für die Chinesen am westlichsten Rand der Welt lag. Mit der allmählichen Ausdehnung der Grenzen der bekannten Welt verschob sich nämlich unweigerlich auch die Lage dieses Königreichs, nachdem sich die »Königinmutter des Westens« ins Paradies der Unsterblichen zurückzog, über das sie nun herrschte.

## Die Abenteuer des Zhang Qian

Der erste wirkliche Durchbruch Chinas nach Westen ist eng verbunden mit den Schwierigkeiten, die die Xiongnu – die vielfach für die Vorfahren der Hunnen gehalten wurden – dem Kaiserreich der Han bereiteten. Diese Auseinandersetzungen veranschaulichen einen Konflikt zwischen zwei Kulturen, zwischen Nomaden und Seßhaften, zwischen Viehzüchtern und Ackerbauern. Auf diesen Gegensatz ist auch der Bau der Großen Mauer zurückzuführen.

Für die Han waren die Xiongnu die Verkörperung feindlicher Bedrohung. Die Xiongnu waren Viehzüchter, aber auch Jäger und gute Reiter, die überall, wo sie auftauchten, Verwüstung hinterließen. Unaufhörlich drangen sie raubend und plündernd auf chinesisches Gebiet vor. Seit der Thronbesteigung des ersten chinesischen Kaisers Qin Shihuang Di, der um 221 v. Chr. die Königreiche Zentralchinas zu seinen Gunsten geeint hatte, war die Gefahr durch die Errichtung der Großen Mauer etwas zurückgedrängt worden. Doch unter der Han-Dynastie nahmen die Xiongnu ihre Beutezüge wieder auf und untergruben die kaiserliche Autorität. Erst unter Wu Di, dem »Kriegerischen Kaiser«, der von 141–87 v. Chr. regierte, wurden die wiederholten Angriffe der Xiongnu wirkungsvoll abgeschlagen. Mit diesem Ziel vor Augen kämpfte auch General Hu Qubing (gest. 117 n. Chr.) jahrelang im Nord-Westen, in der heutigen Provinz Gansu. Da es nicht gelang, die Xiongnu endgültig zu unterwerfen, entschloß sich Kaiser Wu zum Versuch einer Allianz mit den Feinden der Xiongnu, den Yuezhi, von denen gefangene Xiongnu gesprochen hatten. Die Yuezhi, Nomaden wie die Xiongnu, die im Gebiet um Dunhuang und um die Qilian-Berge lebten, waren von den Xiongnu geschlagen und vertrieben worden. Der Herrscher der Xiongnu, ihr *shanyu*, hatte zunächst den König getötet und sich dann nach altem Brauch aus dessen Schädel eine Trinkschale gefertigt. Die Yuezhi waren gen Westen, ins Ili-Tal geflohen, von wo sie wiederum durch andere Nomaden, die Wusun – die allgemein für die von Ptolemäus erwähnten Asmiraioi gehalten werden – verjagt wurden. Aller Wahrscheinlichkeit nach ließen sich die Yuezhi daraufhin in der Sogdiane (Raum Samarkand) und dann in Baktrien (Raum Balkh) nieder, nachdem sie die dortigen Bewohner vertrieben hatten. Sie waren es, die später das indoskythische Reich Kushan (1.–3. Jh.), das den Norden Indiens umfaßte, gründeten. Die Yuezhi, so dachte man in der chinesischen Hauptstadt, müßten gegenüber den Xiongnu tiefen Groll hegen. Doch daß sie sich in so weiter Ferne niedergelassen hatten, ahnte der Kaiser sicher nicht. Er wollte ihnen zunächst einen Boten schicken. Mit dieser Mission wurde Zhang Qian, ein Beamter, betraut, der, um zu den Yuezhi zu gelangen, das Xiongnu-Gebiet durchqueren mußte. Es kam, wie es kommen mußte: kaum hatte er China verlassen, wurde er gefangengenommen. Im Laufe seiner zehn Jahre dauernden Gefangenschaft wurde er mit einem Nomadenmädchen verheiratet, mit der er auch Kinder hatte.

Doch sein ursprüngliches Ziel hatte er nicht aus den Augen verloren, und so nutzte er eines schönen Tages die Gelegenheit, mit seinen Gefährten zu fliehen und weiter nach Westen zu wandern. Dort hoffte er die Yuezhi zu finden. Auf diese Weise gelangte er zunächst nach Dayuan (Ferghana), wo der Herrscher ihn wohlwollend aufnahm. Von dort aus zog er nach Kangju (im Raume Samarkand) und kam schließlich zu den Yuezhi. Doch er mußte erstaunt feststellen, daß diese friedlich und genügsam lebten und nicht mehr im entferntesten daran dachten, Rache an den Xiongnu zu nehmen. Ein Jahr lang hielt sich Zhang Qian in Baktrien auf, ohne daß es ihm gelang, die Yuezhi zum Kampf gegen die Xiongnu zu bewegen, und so schlug er schließlich den Rückweg ein. Abermals wurde er von den Xiongnu gefangengenommen, doch diesmal dauerte seine Gefangenschaft nur ein Jahr, da der Herrscher starb und Zhang Qian die allgemeine Verwirrung nutzen konnte, um mit seiner Frau und seinem Führer zu fliehen. Der chinesische Kaiser bereitete ihm einen großen Empfang und ernannte ihn zum höchsten Berater bei Hofe. Dreizehn Jahre, von 139–126 v. Chr., war er abwesend gewesen, und von den hundert Männern, die er mitgenommen hatte, war nur einer zurückgekehrt.

Wenn die diplomatische Mission des Zhang Qian auch gescheitert war, so war sie trotz allem auf politischem und militärischem, aber auch auf kommerziellem Gebiet durchaus ertragreich. So berichtete Zhang Qian dem Kaiser, daß er während seines Aufenthalts in Baktrien Bambusrohr und Stoffe aus den heutigen chinesischen Provinzen Sichuan und Yunnan gesehen hatte, die

*Die Kaiser von China sind häufig in ähnlicher Haltung und in Begleitung zweier Begleiter dargestellt. Solche Abbilder in erstarrter Pose finden sich*

*immer wieder, auch auf den Wandmalereien von Dunhuang. Hier Kaiser Wu der Jin, genannt Sima Yan (Regierungszeit 265–290).*

Händler in Nordindien eingekauft hatten. Er machte daher den Vorschlag, eine direkte Südverbindung nach Baktrien zu suchen, um die Durchquerung von Gebieten, die immer wieder von den Xiongnu überfallen wurden, zu vermeiden.

Der Kaiser spann diesen Gedanken noch weiter: man solle sich diese Länder, die die Reichtümer der Han schätzten, gefällig stimmen und auf diploma-

*Zwischen 139 und 126 kämpfte Zhang Qian sich bis zu den Yuezhi (Indo-Skythen) durch. Hier die Darstellung seiner Reise auf einer unter den Tang ausgeführten Wandmalerei in der Höhle 323 von Dunhuang.*

Meine Familie hat mich verheiratet auf die andere Seite des Himmels.

In die Ferne hat man mich geschickt, in ein seltsames Land, zum König der Wusun. Eine Jurte ist mein Haus, Filz bildet seine Mauern, Fleisch ist meine Nahrung, gegorene Milch ist seine Sauce,

Ich lebe, indem ich stets an das Land meiner Geburt denke, mein Herz ist gemartert,

Ich möchte ein goldener Schwan sein, um heimzukehren in das Land, aus dem ich stamme.

*Gedicht der um 110–105 v.Chr. dem König der Wusun zur Ehe übersandten Prinzessin Liu Xijun, Han shu, 96 B*

*Daß chinesische Prinzessinnen zu den Xiongnu und sogar bis zu den Yuezhi geschickt und deren Stammeshäuptlingen zur Ehe angeboten wurden, war unter den Han eine Gepflogenheit. Gleichsam im Austausch wurden die Söhne der »Barbaren-Fürsten« als Garanten für die guten Beziehungen in der chinesischen Hauptstadt aufgenommen.*

tischem und wirtschaftlichem Gebiet zu einem Austausch gelangen. Durch Schenkungen und Begünstigungen müßte es möglich sein, diese Staaten zu beeindrucken und die Erhabenheit der Han ins rechte Licht zu rücken. Er traf auch sogleich die entsprechenden Anordnungen. Mehrere Gesandtschaften sollten, insbesondere im Süden, Zugangswege erkunden. Doch es kam zu Zusammenstößen mit verschiedenen Stämmen, die die Abgesandten der Han töteten und ausraubten.

Einige Jahre später machte sich Zhang Qian erneut auf und begab sich zu den Wusun im Ili-Tal. Da diese von den Xiongnu schon einmal unterworfen worden waren, verharrten sie jetzt in respektvoller Distanz zu ihnen. Zhang Qian hielt es für möglich, sie erneut gegen die Xiongnu aufzuwiegeln. Man müsse ihnen nur Geschenke mitbringen und ihrem Herrscher eine chinesische Prinzessin zur Ehe schicken. Wären mit den Wusun erst einmal die Bande geknüpft, würden die anderen Staaten es ihnen gleichtun. Eine Delegation von dreihundert Mann wurde zusammengestellt, mit Zhang Qian an der Spitze. Jeder Gesandte bekam zwei Pferde zugeteilt. Außer Vieh und Scha-

fen nahmen sie als Gastgeschenke noch Gold, Seidenwaren und andere Gaben mit.

Doch dem Ersuchen um Waffenbrüderschaft wurde nur eine ausweichende Antwort zuteil. Eine chinesische Prinzessin für ihren Herrscher wollten die Wusun zwar gern annehmen, doch fehlte ihnen der Mut, den Xiongnu offen die Stirn zu bieten. Zhang Qian kehrte unverrichteter Dinge in die damalige Hauptstadt des chinesischen Reiches, Chang'an (heute Xi'an), zurück. Als Geschenk für den Kaiser brachte er jedoch Dutzende von Pferden mit. In der Folge sollte der Herrscher der Wusun seine chinesische Prinzessin erhalten, die »Die Dame zu seiner Rechten« wurde. Die Xiongnu schickten ihm im Gegenzug ein Mädchen zur Ehe, als »Dame zu seiner Linken«. Tausende Pferde wurden für die chinesische Prinzessin geboten, die ihrerseits eine stattliche Menge Seidenwaren mitbrachte. Und als Trost für ein Dasein in einem so schrecklichen Land schickte ihr der Kaiser häufig Brokate und bestickte Seidenstoffe.

Anläßlich seiner Mission bei den Wusun hatte Zhang Qian Gesandtschaften zu anderen Königreichen, nach Parthien und Indien, geschickt, und dies war in der Folgezeit zu einem regelmäßigen Brauch geworden. Mehrere hundert Mann stark waren die größten Delegationen; fünf bis zehn Abordnungen entsandte China jährlich. Wie überliefert wird, kehrten diejenigen, die in die entferntesten Länder geschickt wurden, erst nach acht oder neun Jahren zurück.

Die Königreiche ihrerseits schickten gleichzeitig Gesandtschaften. Durch eine von ihnen, die aus dem Arsakiden-Persien kam, gelangten Straußeneier nach Chang'an sowie Zauberkünstler aus Ligan, das einige für das ägyptische Alexandria und andere für das syrische Petra hielten.

Das Barbaren-Pferd mit den roten Ohren, wie es den Kopf wiegt, mit den Ohren spielt und seine goldenen Zügel schleifen läßt. Wie oft war es als Streitroß auf weitem Schlachtfeld; wieder ging's zur Grenze, mit der langen Lanze.

Wenn es in den Kampf zog, floß der Schweiß ihm wie Blut.
Mit einem einzigen Schrei aus allen Kehlen wurde Einhalt geboten.
Wurden am Ende des Kampfes die Wimpel an den Lanzen eingerollt,
verflüchtigte sich auch sein Schweiß; man nahm ihm seinen goldenen Sattel ab.
*Pelliot, Chines. Handschriften 3911 und 2809*

Diese diplomatischen Missionen wichen indes auch manchmal vom geraden Wege ab. Es war nicht immer leicht, bei den Leuten von Stand genügend Teilnehmer zu gewinnen. Immer häufiger schlichen sich dunkle Elemente ein, die sich um die kaiserlichen Instruktionen wenig scherten und sich die Güter, die sie transportierten, kurzerhand aneigneten, um sie zu ihrem eigenen Vorteil zu veräußern.

An diesen ersten Austauschversuchen als Folge der abenteuerlichen Reisen des Zhang Qian läßt sich ablesen, wie man sich im China von damals Beziehungen zu anderen Staaten vorstellte, und zwar auf politischem wie auch auf kommerziellem Gebiet. Benachbarte Königreiche oder besser Stadt-Staaten,

# Die himmlischen Pferde

Die himmlischen Pferde
kommen,
sie kommen aus dem fernsten Westen.
Den fließenden Sand haben
sie durchquert,
die neun Barbaren sind
unterworfen.
Die himmlischen Pferde
kommen,
dem Wasser einer Quelle
entstiegen.
Die himmlischen Pferde
kommen,
durch grasloses Land sind sie
gegangen,
tausend Li haben sie zurückgelegt, um gen Osten zu
ziehen.
Die himmlischen Pferde
kommen,
genau in diesem Jahr.
Machen sie sich bereit,
davonzustürmen, wer weiß,
wann?

gewann man durch Geschenke. So wurden sie gewissermaßen zu Vasallen-
staaten, die den Glanz der Han mehrten. Aus diesem Grunde führten alle
Gesandtschaften Gold und Seide im Überfluß mit. Als Garantie für gute Beziehungen sandte man den Vasallen-Königen Prinzessinnen als Konkubinen
und nahm in der chinesischen Hauptstadt Mitglieder der Herrscherhäuser
dieser Königreiche in Dienst. Diese Geschenk-Politik, die im ersten Jahrhundert unserer Zeitrechnung fast ein Drittel der Einnahmen des Kaiserreichs
verschlang, dürfte die Wirtschaft der Han an die Grenze des Ruins gebracht
haben. Andererseits verlieh sie dem Handelsaustausch Impulse, da sich der
Warenverkehr, bei dem die Seide eine entscheidende Rolle spielte, auswei-
tete.

## Li Guangli und die Himmelsrösser

Zhang Qian hatte dem Kaiser auch von den blutschwitzenden Rössern
berichtet, die er in Ferghana gesehen hatte. Diese stammten, wie man allgemein glaubte, von übernatürlichen, von Himmelsrössern, ab. Der Kaiser hatte
sich zunächst mit den Pferden der Wusun, die er »Himmelsrösser« getauft
hatte, zufrieden gegeben. Ein Orakel hatte ihm enthüllt, die übernatürlichen
Rösser kämen aus Nord-Westen. Als er erfuhr, in Ferghana gebe es noch bes-
sere Pferde, taufte er die Wusun-Pferde kurzerhand um in »Pferde des westlichen Weltendes« und gab denen aus Ferghana den Namen »Himmelsrösser«.

Gesandte, die zurückkehrten, berichteten ihm, in Ershi, der Hauptstadt von
Dayuan (gemeint ist das mittelalterliche Sutrishna nahe bei Uratepe, zwischen Khojend und Samarkand), seien solch prachtvolle Pferde zu finden.
Man wolle diese aber den Gesandten der Han nicht zeigen. Wu Di entsandte
sofort einen Boten mit tausend Goldstücken und einem Pferd aus Gold dorthin. Doch der König von Dayuan war der chinesischen Gesandten bereits
überdrüssig. Da er sich weit genug von China entfernt wußte, als daß Truppen ihn hätten in die Knie zwingen können, verweigerte er die Herausgabe

*In der Nähe des Jiayu-Passes im Hexi-Korridor, den jeder passie-ren mußte, der auf der Seiden-straße reiste, wurden 1972 meh-rere mit Wandmalereien ausge-schmückte Grabstätten entdeckt.*

der kostbaren Pferde. Vor Zorn zertrümmerte der Bote das goldene Pferd, das
er als Geschenk mitgebracht hatte. Kurz darauf wurde er ermordet und ausge-
raubt.

Die Affäre wirbelte viel Staub auf, und Kaiser Wu beauftragte Li Guangli,
den er schon im voraus zum General von Ershi ernannte, den König von
Dayuan zur Raison zu bringen und die Pferde in Besitz zu nehmen. So führte

im Jahre 104 v. Chr. Li Guangli die aus sechstausend Reitern und etlichen Zehntausend mehr oder minder disziplinierten Fußtruppen bestehende Strafexpedition gegen das Königreich Dayuan. Der Feldzug mißlang jedoch. Es fehlte an Lebensmitteln, und auf dem ganzen Marsch wurde der Han-Armee von den Städten, durch die sie zog, jegliche Verpflegung verweigert. Erschöpft erreichten die Soldaten noch die Grenzen Dayuans, doch die Stadt Yucheng, in der der chinesische Gesandte ermordet worden war, vermochten sie nicht einzunehmen. Li Guangli trat den Rückzug an und kam, nachdem er den Großteil seiner Truppen eingebüßt hatte, noch bis Dunhuang. Von dort aus sandte er dem Kaiser einen Boten, um ihn über die Lage in Kenntnis zu setzen. Er bat den Kaiser, die Soldaten zu entlassen, bis Verstärkung eingetroffen wäre. Doch dieser befahl ihm, sich außerhalb der Befestigungsanlage des Jadetorpasses Yumenguan zu verschanzen und untersagte den erschöpften Soldaten, nach China zurückzukehren.

Nach kurzem Zögern entschloß sich Wu Di, Verstärkung zu entsenden, da er die berühmten Pferde unbedingt besitzen wollte. Im übrigen fürchtete er, eine Niederlage könnte von anderen Königreichen als Schwäche gedeutet werden. Eine Expedition von 60 000 Soldaten — wobei die Diener, die persönliche Habe trugen, nicht mitgezählt sind —, 100 000 Stück Vieh, mehr als 30 000 Pferden sowie Tausenden von Eseln und Kamelen wurde zusammengestellt. Auch zwei Fachleute zogen mit, die nach der Einnahme von Dayuan die Auswahl der Pferde vornehmen sollten.

Li Guangli kam bis Ershi; als er sich anschickte, die Hauptstadt des Königreichs zu belagern, erfuhr er, daß diese über keinen Brunnen verfügte. Deshalb schnitt er durch Umleitung des Flußlaufes die Stadt von der Wasserversorgung ab. Die Belagerung dauerte vierzig Tage. In der Stadt machte sich Empörung breit. Einige sagten sich insgeheim, der Schuldige an diesem Krieg sei der König, der den Gesandten der Han hatte ermorden lassen. Wenn man nur den König tötete und den Han Pferde anböte, würde die Belagerung aufgehoben. So geschah es. Li Guangli nahm den Vorschlag an. Aus den besten Pferdebeständen ließ er mehrere Dutzend auswählen und nahm zusätzlich noch dreitausend Hengste und Stuten herkömmlicher Rassen mit. Ein Pakt wurde geschlossen: alljährlich seien dem Kaiser zwei »Himmelsrösser« zu schicken. Aber auch Luzernen- und Traubensamen nahmen die Han mit nach Hause. Die beiden Feldzüge hatten vier Jahre gedauert.

Man hat sich häufig gefragt, ob Wu Dis Verlangen nach den »Himmelsrössern« aus Ferghana wohl in Verbindung mit seinem Streben nach Unsterblichkeit stand. Die Himmelsrösser mußten einem Fluß entsteigen, wie das berühmte Drachen-Pferd, das aus dem Gelben Fluß auftauchte und auf dem Rücken die mythische »Flußtafel« (Luoshu) trug, von der sich die Ausdehnung des Machtbereichs ablesen ließ. Es ist aber ebenso gut möglich, daß ein Bedarf an Hengsten bestand, mit denen die durch die Kriege gegen die Xiongnu dezimierte Kavallerie der Han wieder aufgebaut werden sollte. Allerdings scheinen die Himmelsrösser nicht überall in China heimisch geworden zu sein, trotz des mitgenommenen und reichlich ausgestreuten Luzernesamens.

*In dem 1969 in Leitai bei Wuwei entdeckten Grab eines Generals aus der Zeit der Späteren Han wurden mehr als zweihundert Grabbeigaben gefunden, von denen eine sofort Berühmtheit erlangte: Das fliegende Pferd, mit einem Fuß auf einer Schwalbe stehend.*

Die himmlischen Pferde kommen,
man hat die fernen Tore geöffnet.
Ich möchte mich aufrichten und fortgehen bis zu den Kunlun-Bergen.
Die himmlischen Pferde kommen,
sie sind die Vermittler der Drachen,
durchschreiten die Pforte des Himmels,
und betrachten die Jade-Terrasse.
*Han shu, 22*

## Diplomatie und Handel

Li Guanglis Straf-Expedition hatte die benachbarten Königreiche erschreckt; die meisten von ihnen entsandten daraufhin freiwillig Tribut und Garanten an den chinesischen Hof. So kam es um diese Zeit auch zur Gründung der vier Kommanderien Jiuquan, Zhangye, Dunhuang und Wuwei, um das chinesische Vordringen in Zentralasien zu stützen. Dies war weitgehend das Werk Ban Chaos (31–103 n. Chr.), der unermüdlich im gesamten heutigen Turkestan kämpfte, um die zahlreichen Königreiche zu unterwerfen, die sich fast unaufhörlich auflehnten und sich mal mit den Chinesen, mal mit den Xiongnu verbündeten. Die politische Zerstückelung des Tarimbeckens und Zentralasiens wurde immer schlimmer. Zählte man zu Beginn der Han-Dynastie noch 36 Königreiche, so waren es zu Beginn unserer Zeitrechnung mehr als fünfzig.

*Wandmalerei aus der Höhle 103 von Dunhuang. Das Gemälde aus der Tang-Zeit illustriert die Parabel von der imaginären Stadt. Auf dem oben abgebildeten Fragment führt ein Elefant eine Karawane an.*

Zu dieser Zeit erfuhr aber auch der Warenaustausch einen beträchtlichen Aufschwung. Viel Schriftliches ist allerdings über diese Geschäfte nicht überliefert, da die chinesischen Gelehrten und Schriftkundigen den Handel zutiefst verachteten. Die von den fremden Gesandtschaften mitgebrachten Waren wurden als Tribut angesehen, der, als Bestandteil des kaiserlichen Schatzes, von der Erhabenheit und Größe des Kaiserreiches Zeugnis ablegen sollte. Unter Wu Dis Herrschaft enthielt der Schatz strahlende Perlen, Kaurischnecken, Rhinozeroshorn, Eisvogelfedern; aber auch Pferde aller Art (*pushao*-Pferde, drachenähnliche, »fischäugige«, blutschwitzende Pferde), auch Elefanten, Löwen, Straußenvögel etc. gehörten dazu. Die Realität war oft banaler. Händler mischten sich unter die Mitglieder der chinesischen Gesandtschaften oder Expeditionen. So auch im Jahre 94 unserer Zeitrechnung, als General Ban Chao eine militärische Expedition gegen das Königreich Yanqi (Karashar) unternahm und sich ihm Hunderte von Händlern anschlossen.

Noch deutlicher war dies ausgeprägt bei den Delegationen fremder Königreiche, die bei Hofe eintrafen: sie bestanden häufig ausschließlich aus Händlern, die sich als Abgesandte der Herrscher weit entlegener Staaten ausgaben. So monierte man beispielsweise unter der Regierung Cheng Dis (32–7 v. Chr.), daß unter den Delegationen, die gekommen waren, um den Han zu huldigen, kein einziges Mitglied eines Königshauses, ja nicht einmal ein Mann von Adel vertreten gewesen sei. Der Großteil der Gesandten bestand aus Händlern. Diese waren unter dem Vorwand, Geschenke darzubringen, in die Stadt gekommen und beabsichtigten nichts anderes, als ihre Ware zu tauschen und Geschäfte zu machen. So kam im Jahre 166 n. Chr. ein Händler, der sich als Gesandter des römischen Kaisers Marcus Aurelius Antonius ausgab, über Tonking an den Hof der Han, wo er Elefantenstoßzähne, Rhinozeroshorn und Schildkrötenpanzer darbot, Dinge, die auch schon damals keine echte Kostbarkeit mehr darstellten.

## Reiserouten

Der Warenaustausch mit den westlichen Regionen, der sich auf diese Weise mehr und mehr verbreitete, war nicht nur von politischen Schwankungen, sondern auch von geographischen Gegebenheiten abhängig. Um in die Sogdiane, nach Baktrien, Parthien oder Indien zu gelangen, mußten die Händler Wüsten durchqueren und Berge bewältigen. Fixpunkte waren die Oasen.

Unter den Han gab es zwei Routen, die passierbar waren. Beide gingen vom Yumenguan und Yangguan aus. Die erste, die Südroute, verlief durch Shanshan (Loulan) gen Westen entlang der Gebirge bis zu den Congling-, den Zwiebel-Bergen — gemeint ist der Pamir —, und von dort aus konnte man zu den Yuezhi und den Parthern gelangen. In der Geschichte der Späten Han heißt es, die Route verliefe von Shanshan aus quer durch die Königreiche Qiemo (Cherchen), Jingjue (Niya), Jumi (oder Wumi), Pishan, Yutian (Khotan), Xiye (Yarkand); und von Pishan aus in Richtung Süd-Westen gelange

man nach Wuhao (Tashkurgan). Nach Überquerung der »Hängebrücken-pässe« komme man ins Königreich Jibin (Kaschmir), von dort aus dann nach Wuyishanli, d.h. Alexandria (Herat?) und Tiaozhi (vielleicht Taoke bei Buschehr am Persischen Golf).

Die zweite, die Nord-Route, führte nach Jushi (Turfan) und entlang der Berge im Norden nach Shule (Kashgar). Verfolgte man sie weiter nach Westen, ging es die Congling entlang (Pamir) nach Dayuan (Ferghana), Kangju (Samarkand) und Yancai (wo die als Vorfahren der Alanen von Strabo erwähnten »Aorsoi« gelebt haben könnten). Man weiß, daß gegen Ende der frühen Han-Dynastie, im Jahre 2 unserer Zeitrechnung, die Nordroute im Raume Jushi (Turfan) ausgebaut wurde, mit dem Ziel, die Dünen der Weißen Drachen (Bailong dui) zwischen Hami und Turfan zu umgehen. Diese wei-ßen Sanddünen glichen geköpften Drachen.

In Wirklichkeit sind die Reiserouten nicht leicht nachzuzeichnen. Yu Huan berichtet uns in seinem *Wei lüe* (Kurzgefaßte Geschichte der Wei, 3. Jh.) von drei Routen. Unverändert war die Südroute, doch die Nordroute war nun die der Mitte. Wie Yu Huan erklärt, verläßt man den Yumen-Paß gen Westen vom Brunnen des Beschützers (Duhu jing) aus, zieht dann am äußersten Nord-rand der Drei-Hügel-Wüste (Sanlong sha) entlang, vorbei am Getreidespei-cher von Julu, um am Brunnen von Shaxi nach Nord-Westen zu schwenken, durch die Drachen-Dünen hindurch bis zum ehemaligen Loulan. Dort wen-det man sich nach Westen, um nach Qiuzi (Kutcha) und schließlich zum Pamir zu gelangen.

Bezüglich der neuen Nordroute sind die Texte nicht eindeutig. Mal ist man versucht zu glauben, sie überrunde die Mittelroute zwischen dem Yumen-guan und Turfan, wo beide Wege sich trafen, dann wieder bekommt man den Eindruck, es handele sich um eine gänzlich andere Route. Chavannes neigt

*Auf diesem im Musée dalmyre aufbewahrten Bas-Relief sind liegende und beladene Drome-dare dargestellt, die arabischen Vettern der sogenannten persi-schen oder »baktrischen« Kamele.*

zur Annahme, sie verliefe gen Norden in Richtung Hami, überquere die Berge und führe zum Barkul-See und von dort aus geradewegs Richtung Westen, an der Nordflanke des Tianshan (Himmelsgebirge) entlang.

In Wirklichkeit sind diese Routen eher Hauptachsen, gespickt von Wegkreuzungen und Abzweigungen. Nach der Nordumgehung des Tianshan-Gebirges zum Beispiel mußte man, wenn man von Westen kam, auf die Südumgehung dieses Gebirges stoßen, um sich mit ihr im Raume Turfan zu vereinen.

Bekannt sind uns die Reiserouten unter den Han nur für Gegenden, die im großen und ganzen der heutigen Provinz Xinjiang entsprechen, folglich für Landstriche im damaligen chinesischen Einflußbereich. Im gesamten Umfeld macht sich die Legende breit und vermischt sich mit den Kenntnissen, die die Chinesen damals vom Westen hatten. Gewiß, von der Hauptstadt aus betrachtet, lauerten Gefahren aller Art auf die Reisenden. Zu der Unsicherheit, die aus permanenten Umstürzen innerhalb der Königreiche der »Westländer« resultierte, kamen die naturbedingten Schwierigkeiten hinzu.

»Zieht man von Pishan aus nach Süden, so durchquert man vier oder fünf Königreiche, die den Han nicht untertan sind. Eine Abordnung von etwa hundert Mann mag die Nacht in fünf Wachen unterteilen, auf Eßnäpfe trommeln und Posten stehen, immer wieder wird es zu Angriffen und Raubzügen kommen. Die Verpflegung von Eseln, Vieh und Menschen hängt vom Reichtum der verschiedenen Königreiche ab. Manche Königreiche sind zu arm oder zu klein, um Nahrungsmittel zu liefern, oder einfach grausam und schurkisch und wollen nichts herausrücken. So kommen unsere Gesandten, die die Hoheitszeichen der mächtigen Han tragen, in Bergen und Tälern schier vor Hunger um. Sie betteln, doch man gibt ihnen nichts, und nach zehn oder zwanzig Tagen irren Männer und Tiere in der Wüste umher, ohne wieder herauszufinden.

Bezwingen sollen sie außerdem die Berge des Großen Kopfschmerzes sowie die des Kleinen Kopfwehs und die Abhänge der Roten Erde und des Fiebers. Sie bekommen auch Fieber und haben keine Farbe mehr, leiden an Migräne und Erbrechen. Das Gleiche gilt für Esel und Vieh.

Da sind aber auch noch die Drei Weiher und die Abhänge der Großen Felsen, wo der Pfad nur einen Fuß und sechs oder sieben Zoll (etwa 40 cm) breit ist, und das auf einer Länge von dreißig Li (etwa 14 km). Er verläuft hoch über einem Abgrund von unermeßlicher Tiefe.

Die Reisenden, ob zu Pferd oder zu Fuß, klammern sich aneinander und ziehen sich an Seilen entlang. Erst nach mehr als zweitausend Li erreichen sie die Hängebrückenstraße. Wenn die Tiere stürzen, sind sie schon zerstückelt, bevor sie die Hälfte der Felsrinne erreicht haben. Wenn Männer stürzen, können sie einander nicht helfen. Die Gefahren dieser Abgründe lassen sich einfach nicht mit Worten beschreiben« (*Hou Han shu, 96 A*).

Es gab aber nicht nur die Gefahren des Reisens zu Lande. Die Überquerung der Meere konnte noch viel schrecklicher sein. Das zumindest machten die Parther im Jahre 97 n. Chr. Gan Ying glauben, den General Ban Chao mit einer Mission im Lande Da Qin — gemeint ist das Römische Reich — betraute. Gan Ying gelangte nach Tiaozhi, und als er die Gestade eines großen Meeres erreichte und es überqueren wollte, sagten ihm die Seeleute von Anxi (Parthien): »Das Meer ist sehr breit. Bei günstigem Wind läßt sich die Überfahrt in

*Roms Ein- und Ausfuhren wurden großteils von Ostia aus gelenkt: Es war Endziel der Routen zwischen der Levante und China oder der Wasserwege über Indien.*

drei Monaten bewältigen, doch bei Gegenwind kann sie zwei Jahre dauern. Daher nehmen alle, die sich einschiffen, Verpflegung für drei Jahre an Bord. Auf hoher See befällt einen leicht Heimweh, woran schon viele gestorben sind.« Als er das hörte, verzichtete Gan Ying auf sein Vorhaben. Es scheint, als hätten die Parther ihm wohlbedacht diesen Schrecken eingejagt, denn für sie war es wichtig, direkte Beziehungen zwischen China und dem Römischen Reich zu unterbinden, da der Seidenhandel für gewöhnlich über sie abgewikkelt wurde. Diesen Eindruck hatten übrigens auch die Chinesen: »Der König von Da Qin wünschte stets Händler zu den Han zu entsenden, doch die Parther wollten den Handel mit chinesischen Seiden mit ihm abwickeln; aus diesem Grunde erfanden sie immer neue Widerstände und verhinderten jede direkte Beziehung.«

Die Seide, die im ersten Jahrhundert v. Chr. nach Rom gelangte, kam aus einem geheimnisvollen Land, dem Land der Serer, von dem man nichts weiter wußte, als daß dort Menschen lebten, die Seide verarbeiteten, die wiederum von einer Art »Wollbaum« hervorgebracht wurde. In Wirklichkeit waren die Serer damals sowohl Seidenhersteller als auch Seidenverkäufer. Häufig wurden sie mit den Skythen, den Indern oder den Parthern verwechselt, da nämlich die Seide nicht nur auf dem Landwege über Vermittlung der Parther, sondern auch mit indischen Schiffen weitertransportiert wurde.

## Indien und die Seewege

Bambus und Stoffe waren Zhang Qian auf seiner Reise zu den Yuezhi aufgefallen. Ob er auch Seiden fand, ist nicht bekannt. Er stellte jedoch fest, daß schon seit langem zwischen Südchina und Nordindien, auf dem Wege über Burma, vielleicht auch auf dem Seewege, Handel getrieben wurde.

Panini bezeugt das Vorkommen von Seide in Indien bereits im vierten vorchristlichen Jahrhundert. Als im Anschluß an die Missionen Zhang Qians zentralasiatische Routen eröffnet wurden, erlebte der Handelsverkehr mit Indien einen neuen Aufschwung, wie archäologische Funde beweisen: z.B. ein Stück Seide mit einer Brahmi-Inschrift, das Aurel Stein in einem Wachturm am Yumenguan entdeckte. Das Königreich Khotan scheint als Transitstation eine wichtige Rolle gespielt zu haben.

Wie Parthien, und in gewissem Maße sogar als dessen Konkurrenz, wurde auch Indien zum Vermittler im Verkehr zwischen Rom und China. Der Warenaustausch auf dem Seewege verdrängte allmählich den Handel auf dem Landwege, vor allem vom 2. Jahrhundert n. Chr. an. Dies war die Folge der Kriege zwischen Rom und den Parthern, seit der Schlacht bei Karrhä (53 v. Chr.) bis zur Offensive Trajans zwischen 114 und 117. Die Belastung durch die von den Parthern als Gegenleistung für ihre Mittlerrolle erhobenen Abgaben hat die Entscheidung zu diesem letzten Feldzug vermutlich mit beeinflußt.

Der Handel vollzog sich selbstverständlich in mehreren Etappen: von China nach Indien, dann von Indien nach Ägypten oder Syrien, und von dort nach Rom. Nach Indien gelangte die Seide entweder durch Zentralasien oder über Burma, vielleicht auch entlang der indochinesischen Küsten und dann — auf indischen Schiffen — über die Meerenge von Malakka.

»Die Schiffsladungen, die von den Indern und sogar, wenn du willst, von den Bewohnern des glücklichen Arabien hierhergekommen, kann man hier in so großer Menge sehen, daß man sich vorstellen kann, daß bei ihnen nurmehr geplünderte Bäume verbleiben und daß sie, wenn sie ihre eigenen Erzeugnisse haben wollen, sie sich hier erbetteln müssen. Die Stoffe von Babylon und der Schmuck aus den Barbaren-Ländern von weiter drüben gelangen in größerer Menge und leichter nach hier als die Erzeugnisse von Naxos oder Cythnos nach Athen gelangen.«
*Aelius Aristides, Loblied auf Rom*

Von den Westküsten Indiens aus wurden verschiedene Routen benutzt. Ursprünglich waren es vermutlich arabische Schiffe, die das Rote Meer und den indischen Ozean befuhren. Die Araber waren berühmt für ihre Geschäftstüchtigkeit und berüchtigt für ihre Piratenakte, wie Plinius d.Ä. (23–79) in seiner »Naturgeschichte« schreibt:

»Wunderbarerweise lebt von so unzähligen Völkerschaften ein gleicher Teil vom Handel wie von Räubereien. Im allgemeinen aber sind diese Stämme sehr reich, da die größten Schätze der Römer und Parther bei ihnen bleiben, indem sie das, was sie aus dem Meere und den Wäldern nehmen, verkaufen, ohne etwas dafür wieder einzukaufen.«

Später wurden von Ägypten aus Schiffe für Indien befrachtet, die den arabischen Handelsschiffen Konkurrenz machten. Strabo (58 v. Chr. – 21 n. Chr.) berichtet, daß zu Beginn unserer Zeitrechnung jährlich einhundertzwanzig Schiffe von Myos Hormos aus nach Indien ausliefen. Plinius beschreibt eine Route mit einem anderen Ausgangspunkt: Alexandria. Von Alexandria aus fuhr man nach Juliopolis, von dort aus schiffte man auf dem Nil bis Coptos (Kouft), was zwölf Tage in Anspruch nahm. Mit einer Karawane erreichte man nach weiteren zwölf Tagen den Hafen von Berenike (Bender el Kebir) am Roten Meer, wo man auf Schiffe verlud. Wegen der Hitze reiste man großteils bei Nacht. Man erreichte Ocelis (vermutlich Seh Sa'id in der Meerenge von Bab el Mandeb) im südlichen Arabien und nach vierzig Tagen Muziris in Indien (Kodungalur). Es dauerte also etwa drei Monate, um von Alexandria nach Indien zu gelangen. Die Seeleute nutzten den Hippalus-Wind, mit anderen Worten: den Monsun. Um das Jahr 100 vor unserer Zeitrechnung hatte ein gewisser Hippalus entdeckt, daß diese Saison-Winde, die Inder und Araber schon längst vor ihm kannten, für die Schiffahrt genutzt werden konnten.

Parallel zu dieser von den Händlern aus Alexandria gewählten Route wurden die Waren aber auch auf anderen Wegen befördert, wie beispielsweise von Leuké Komé am Roten Meer nach Petra und Rhinocolorum (Al Arish) am Mittelmeer oder durch den Persischen Golf nach Petra. Man sollte auch nicht die Route außer acht lassen, die von Zentralasien aus am Oxus (Amu-darya) entlang – häufig auf dem Wasserwege über das Kaspische Meer und den Pontos Euxeinos (Schwarzes Meer) – oder aber auf dem Landwege bis Mesopotamien und Palmyra führte.

Seide war trotz ihrer großen Bedeutung selbstverständlich nicht das einzige Handelsgut. Über Indien kamen auch chinesische Pelze und Eisen, aber vor allem luden die Schiffe dort Gewürze und Aromate. Zimt aus China oder Ceylon, für Arzneimittel oder als Aroma verwendet, wurde – ebenso wie der Pfeffer – in Rom sehr geschätzt. Auch Perlen vom Roten Meer, Smaragde und Weihrauchkörner kamen über den Wasserweg.

Andererseits fuhren die Schiffe aber auch nicht leer in Richtung Osten. Nach China exportierten die Römer vorwiegend Glas. Die Chinesen glaubten, all die herrlichen Dinge, die aus den fremden Königreichen anlangten, kämen fast alle aus Da Qin, also aus dem Römischen Reich. Zehn farbige Opaqueglassorten waren bekannt: blutrot, weiß, schwarz, grün, gelb, blau, braun, azurblau, rot und violett. Die Tauschgeschäfte waren dennoch höchst ungleichgewichtig; die Folge war ein erheblicher Goldschwund, selbst wenn dieser nicht so entscheidend war, wie man zeitweise annahm. Laut Plinius wurden jährlich hundert Millionen Sesterzen für den Handel mit Indien, den

Serern und Arabien aufgewandt. Ein Großteil dieses Devisenabgangs dürfte auf Seidenankäufe zurückzuführen sein.

## Die Seide in Rom

Die Vorliebe für Seide hatte sich langsam von China aus verbreitet und im ersten Jahrhundert vor Chr. auch Rom erreicht. Seide galt dort als Luxusartikel, wie so manches andere. Sie wurde in Rom auch nicht sofort zur Herstellung von Gewändern benutzt. Zunächst führte man bereits gewebte Seide ein. Da diese sehr teuer war, verzierte man mit ihr nur Gewänder, später auch Kissen. In späterer Zeit fertigte man dann auch seidene Gewänder, wozu sie anscheinend nochmals gewebt, also eingewebt, wurde.

Frauen, aber auch Männer waren von diesen duftigen, durchsichtigen Stoffen entzückt. Plinius verrät in seiner »Naturgeschichte« (VI, 54): »Das erste Volk hier, welches man einigermaßen kennt, sind die Serer, berühmt durch die Wolle ihrer Wälder, deren graues Blätterhaar sie mit Wasser befeuchten und abkämmen. Unsere Frauen haben daher die doppelte Arbeit, die Fäden wieder aufzudrehen und von neuem zu weben. Durch eine so mannigfache, so weit hergeholte Arbeit erzielt man es, daß Frauen auf offener Straße halb durchsichtig erscheinen.« Gegen diese unzüchtigen Gewänder empörten sich Seneca und später auch Solinus.

Seit Beginn unserer Zeitrechnung wird das Tragen von Seide bei Männern als dekadenter Luxus gebrandmarkt. Unter den Konsuln Taurus und Libonius, im Jahre 16 n. Chr. beschloß laut Tacitus der römische Senat, daß »nicht serische Gewänder Männer entehren sollten« (*Annalen, II, 33*). Tiberius selbst (der von 14–37 n. Chr. regierte) ersuchte in einem Schreiben an den Senat um ein Verbot der »von Männern nicht anders als von Frauen getragenen Kleider« (*Annalen, III, 53*). Doch vergeblich.

Die Mode der hauchdünnen Stoffe hatte mit der *bombycina* ihren Einzug gehalten, die die *serica* nach und nach verdrängten. Bombyzin, ein Stoff, gewebt aus den Fäden eines auf der Insel Kos vorkommenden wilden Seidenspinners, wurde übrigens häufig mit Chinaseide verwechselt. Das ging so weit, daß Plinius in seinen Beschreibungen des Web- oder Einwebvorgangs die gleichen Wörter verwendet. Bereits Aristoteles (*Arist. hist. an.* V, 19) hatte sie beschrieben, diese »gehörnten Raupen, die nach Art der Spinnen Netze weben, aus denen man zur Bekleidung und zur Zierde der Frauen einen Stoff namens Bombyzin herstellt«. Ungeachtet dieser Verwechslungen können wir festhalten, daß die chinesische Seide Rom erobert hatte, um dort mit Gold oder Purpur in Wettstreit zu treten. Obwohl die Verwendung von Seide schon weit verbreitet war, sollte ihre Herkunft noch lange geheimnisumwittert bleiben.

## Geographie

Die Kenntnisse, die die Römer von China hatten, waren mehr als ungenau. Die Seide, die nach Rom gelangte, wurde ja weder von chinesischen Händlern gebracht, noch von römischen geholt. Das dürfte der Grund dafür sein, daß man nicht recht wußte, wo man sich das Land der Serer vorstellen sollte, irgendwo zwischen den Skythen und den Indern. Man hatte den Römern nur berichtet, daß die Serer Handel durch Warenaustausch trieben und daß dieser

*Der Ursprung des Wortes »China« in den alten europäischen Sprachen geht auf die Qin-Dynastie zurück, die im Jahre 221 v.Chr. von Qin Shihuang Di, dem ersten chinesischen Kaiser, dessen Erhabenheit sogar im Westen bekannt war, begründet wurde.*

stillschweigend und ohne Kontakt zwischen Verkäufer und Einkäufer abgewickelt werde. Das liest sich in der *Chorographia* des *Pomponius Mela* (1. Jh. n. Chr.) folgendermaßen: »Die öden Gebiete beunruhigen hierauf wiederum Untiere bis zu dem Berg mit dem Namen Tabis, der in das Meer hineinragt. Weit von ihm entfernt erhebt sich der Taurus. Die Serer sind dazwischen, ein Stamm voll der Gerechtigkeit und sehr bekannt durch den Handel, den er nach Zurücklassen der Waren in der Einsamkeit in Abwesenheit Fremder durchführt.«

Welch vage Vorstellung die Römer von den Serern hatten, beweist die Beschreibung eines gewissen Rachias, Gesandter aus Ceylon, der laut Plinius (*Naturgeschichte*, VI, 88) erklärte: »Die Serer waren größer als normale Men-

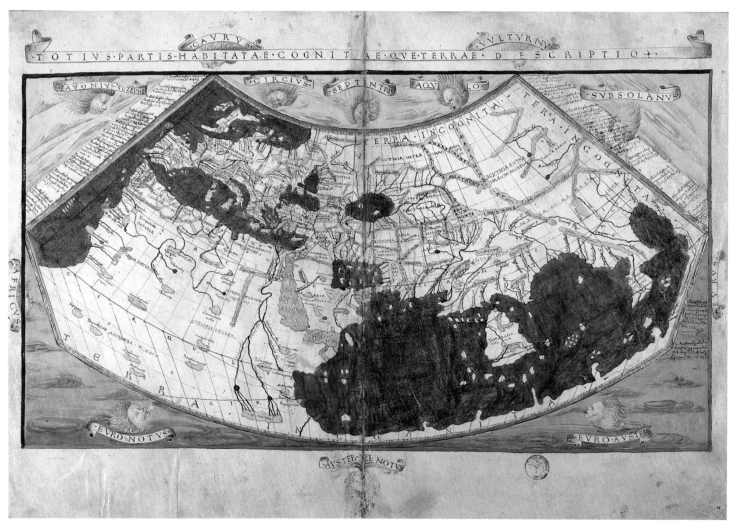

*Karte, basierend auf der Beschreibung des Ptolemäus in seiner* Geographie *(ca. 150 n. Chr.), erstellt um 1400. Man erkennt zwei Chinas, das eigentliche China und die Serika. Die Umrisse des Fernen Ostens verlieren sich in einer undefinierten Zone.*

schen, hatten rotes Haar, blaue Augen, eine entsetzliche Stimme und sprachen mit keinem Fremden.« Hier wurden die Serer offensichtlich mit den Indoeuropäern verwechselt, und vielleicht wurden auch zwei Namen vertauscht: die Serer und die in der Tamilensprache »Cerar« genannten Kerala-Volksstämme von der Westküste Indiens.

Diesen rätselhaften Wesen sprach man ungeheure Langlebigkeit zu: mehr als zweihundert Jahre laut Strabo (*Geographica*, VI, 1, 20) und sogar dreihundert Jahre laut Lukian (2. Jh. n. Chr.). »Diese Völker aber sind ganz und gar am langlebigsten, wie sie berichten, daß Serer bis zu 300 Jahre leben, wobei die einen der Luft, andere der Erde die Ursache für das hohe Alter zuschreiben, wieder andere aber der Ernährung. Denn sie sagen, daß dieses ganze Volk

Wasser trinke *(Macrobioi 5)*. Ebenso verdutzt wie man im Westen auf die wassertrinkenden Chinesen reagierte, blickten die auf diese weintrinkenden westlichen Händler.

Was den Namen Qin (die Chinesen wurden außerhalb ihrer Landesgrenzen »Leute aus Qin« genannt) anbetrifft, so ist es interessant festzustellen, daß die Chinesen selbst die Römer »Da Qin«, d.h. »Große Qin« nannten und ihnen häufig die gleichen Eigenschaften zusprachen, die die Römer bei ihnen hervorhoben: »Die Bewohner dieses Landes sind alle hoch gewachsen und haben regelmäßige Gesichtszüge; sie sehen genauso aus wie die Bewohner des Reichs der Mitte, weswegen man dieses Land Da Qin nennt« (*Hou Han shu,* 88). Auch ihre Langlebigkeit, die die Römer ebenso bei den Chinesen beeindruckend fanden, wird hervorgehoben. Die Chinesen glaubten sogar, die Römer bauten Maulbeerbäume an und züchteten Seidenraupen.

Die Kenntnis der Römer vom Verlauf der Seidenstraße über Land war ebenso ungenau wie die der Chinesen. Erste Einzelheiten über die Route finden sich bei Ptolemäus, der sich auf den Geographen Marynos von Tyros stützt. Marynos nutzte als Quelle die Beziehungen eines Händlers aus Mazedonien namens Maes Titianos. Letzterer war ebenfalls nicht persönlich bis zu den Serern vorgestoßen, sondern hatte Unterhändler hingeschickt, die er nur ein Stück Weges begleitete.

Von Hierapolis (nördlich von Aleppo) aus verlief der Handelsweg durch Mesopotamien, überquerte den Tigris und erreichte Ekbatana (Hamadan) und die Kaspischen Pforten (ein Übergang in den Elburs-Bergen, östlich von Damavand) und zog durch Parthien nach Hekatompylos (nicht sehr weit vom heutigen Damgan entfernt) und verlief dann weiter in Richtung Antiochia Margiana (vermutlich Merv) und Baktra (Balkh). Hinter *Baktra* überquerte die Route die Komedoi-Berge (Pamir) und führte zum Steinernen Turm. Über diesen Steinernen Turm (Lythinos pyrgos) ist viel geschrieben worden. Doch bis heute weiß man nicht, wo sich diese Etappe, an der die Waren ausgetauscht wurden, wirklich befand, vielleicht in der Nähe des heutigen Tashkurgan.

Ptolemäus erwähnt den Verlauf der Route vom Steinernen Turm bis zur »Sera metropolis« nicht; er nennt nur Namen verschiedener Städte. Einige ließen sich lokalisieren: das skythische Issedon (Kutcha), Damna (Karashar) auf der Strecke nördlich des Tarimbeckens, das serische Issedon (Loulan) auf der Südumgehung, dann Daxata (Yumenguan) und schließlich Throana (Dunhuang), wo die Routen zusammenliefen.

Am Steinernen Turm und im Pamirgebiet enden die römischen Kenntnisse vom Verlauf der Seidenstraße in östlicher Richtung und die chinesischen Kenntnisse von den Wegen zum Westen. Vielleicht ist dies der Grund, warum man häufig den Steinernen Turm für den Hauptumschlagsplatz der Karawanen aus beiden Himmelsrichtungen gehalten hat.

*Zahlreiche Seidenstoffe chinesischen Ursprungs wurden im Raum Palmyra entdeckt. In einem Grab in Al-Bara, zwischen Palmyra und Antiochia, fanden sich ebenfalls Seiden, die aus dem China der Han hierhergelangt waren.*

Überall, bis hin zu den Römern, zeigte man sich von der Seide zutiefst beeindruckt. Das dürfte zum einen auf die Qualität der Stoffe, zum anderen aber darauf zurückzuführen sein, daß Ursprung und Herstellung geheimnisumwoben waren. Der Adel war dieser duftigen, zarten, eleganten, schmiegsamen und mit eingewebten Motiven reich verzierten Seide verfallen. Sie galt als Inbegriff des Luxus und verdrängte schon bald die als gewöhnlich abgestempelten Gewänder aus Wolle oder Leinen. Die Anziehungskraft der Seide, die aus fernen Weiten stammte, ließ ihren Preis in die Höhe schnellen, der ohnehin schon wegen der Gefahren auf den Transportwegen und wegen der Abgaben und Gewinnspannen, die die Zwischenhändler forderten, ganz erheblich war.

Woraus bestand es eigentlich, dieses Material, das im Westen so großen Anklang fand?

## DER WUNDER-BARE FADEN

### Herkunft und Verarbeitung der Seide

Schon das alte China kannte die Seide. Ihr Ursprung liegt in grauer Vorzeit, wo die Mythen sich kreuzen. Der Sage nach soll der legendäre Kaiser Fuxi als erster auf den Gedanken gekommen sein, Seidenraupen, die auf Maulbeerbäumen ihre Nahrung fanden, zur Herstellung von Gewändern zu nutzen. Fuxi gilt auch als der Erfinder eines mit Seidenfäden bespannten Saiteninstruments. Die Sage nennt noch einen weiteren berühmten Kaiser: Shennong, den »Gott des Ackerbaus«, der das Volk gelehrt haben soll, Maulbeerbäume und Hanf anzubauen, um Seide und Hanfleinen zu gewinnen. Und schließlich heißt es, Xiling, die Gattin des Gelben Kaisers Huang Di, habe im 3. Jahrtausend vor unserer Zeitrechnung dem Volk die Nutzung von Kokons und Seide zur Herstellung von Kleidungsstücken beigebracht.

Wenn wir auch die ersten Versuche der Seidenraupenzucht und des Webens nicht kennen, so bezeugen archäologische Funde doch ihre Existenz unter der Shang-Dynastie (18.–12. Jahrhundert v. Chr.). 1958 wurden in der Provinz Zhejiang in einem Bambuskorb Seidenstoffreste entdeckt. Mit der Radio-C-14-Methode gelang es, sie auf das 3. Jahrtausend, um das Jahr 2750 v. Chr., zu datieren. Das wäre das älteste bisher bekannte Seidengewebe. Es soll vom domestizierten Maulbeerspinner, dem *bombyx mori,* stammen. Diese Datierung wurde allerdings angezweifelt, besonders von dem chinesischen Archäologen Xia Nai. Im Jahre 1926 war in Xiyi Cun in der Provinz Shanxi ein teilweise durchtrennter Kokon gefunden worden, den man der Yangshao-Kultur zuordnete. Somit ließ er sich auf die Zeit zwischen 2200 und 1700 v. Chr. datieren. Dabei soll es sich um den Kokon einer nicht-domestizierten Seidenraupe, des wilden Seidenspinners *rondotia menciana Moore,* handeln. Bezüglich der Authentizität dieses Fundes wurden trotz allem gewisse Zweifel vorgebracht.

Wie dem auch sei, die Existenz von Maulbeerbaum, Seidenraupe und Seide wird von den Piktogrammen auf den Bronzen und Knochenorakeln der Shang-Dynastie belegt. Auch im *Shang shu,* den »Schriften des Altertums«, einer Sammlung von Texten, die sich vorwiegend mit der Geschichte der Zhou-Dynastie (7.–3. Jh. v. Chr.) befassen, wird die Seide erwähnt, die in verschiedenen Gegenden Chinas produziert und mit Abgaben belegt wurde. Dabei handelt es sich um die heutigen Provinzen Shandong, Henan, Hebei, Shanxi, Anhui, Shaanxi und Jiangsu.

Über die Herstellungsverfahren von Seide unter den Shang- und Zhou-Dynastien lassen sich nur Vermutungen anstellen, und zwar anhand von Fragmenten oder Seidenspuren auf Bronzewerkzeugen, die in diese Stoffe eingewickelt und den Verstorbenen mit ins Grab gegeben worden waren; es sei denn, es ließen sich Rückschlüsse aus späteren Erkenntnissen ziehen. Detailliertere Kenntnis der Seidentechnologie vermitteln uns erst chinesische Texte aus dem 13. oder 14. Jahrhundert unserer Zeitrechnung. So müssen wir wohl davon ausgehen, daß die Methode des Anbaus des Maulbeerbaums und die Aufzucht der Seidenraupen sich seit der Antike nicht wesentlich geändert haben.

Die Raupe des Seidenspinners ernährt sich von den Blättern des Maulbeerbaums. Um in den Besitz von Seide zu gelangen, muß man die Fäden, in die sich der Seidenspinner einwickelt, vom Kokon abhaspeln. Doch um Qualitätsseide zu erlangen, sind bei der Aufzucht der Seidenraupen besondere Bedingungen ausschlaggebend, die geheimgehalten wurden. Diese dürften die Ursache für das Mysterium, das die Seide umgab, gewesen sein.

Zunächst zum Maulbeerbaum. In China wachsen verschiedene Arten, doch bevorzugte man zur Aufzucht von Seidenraupen den weißen Maulbeerbaum, *morus alba,* mit seinen fleischigen, breiten Blättern. Von diesem weißen Maulbeerbaum gibt es zwei Arten, den wildwachsenden und den gezüchteten. Da der wildwachsende nur minderwertige Nahrung für die Seidenraupen lieferte, wollte es der Brauch, daß man ihn zwar wegen seiner größeren Widerstandsfähigkeit anpflanzte, aber mit dem gezüchteten veredelte. Bereits fünf Jahre nach Anpflanzung konnten die Blätter geerntet und an die Seidenraupen verfüttert werden. In den Abhandlungen zur Maulbeerbaumzucht finden sich zahlreiche Hinweise zu den Methoden der Pflanzung, des Beschnitts, der Ablegergewinnung und der Veredelung.

Von den zahlreichen Seidenspinnerarten wurde vornehmlich der *bombyx mori* domestiziert, weil er die beste Seide gab. Im vierten Monat, wenn die Blätter des Maulbeerbaums zu sprießen beginnen, werden die bis dahin an kühlem Ort aufbewahrten Eier der Seidenraupe in einen leicht vorgewärmten Raum gebracht und manchmal sogar in Decken oder Kleidungsstücke gehüllt. Unter solchen Bedingungen wachsen sie schnell heran. Es ist sehr wichtig, daß alle Raupen sich gleichzeitig entwickeln. Daher kannte man auch

*Der legendäre Kaiser Fuxi und seine Schwester oder Tochter Nügua gelten als Schöpfer des Menschengeschlechts. Häufig werden beide eng umschlungen dargestellt. Nügua wird auch die Einführung der Hochzeitsriten zugeschrieben, Fuxi gilt unter anderem als der »Erfinder« der seidenen Gewänder.*

*Der* Bombyx mori *ist der einzige Schmetterling, der für die Seidenherstellung domestiziert wurde. Selbst wenn zahlreiche andere Arten ebenfalls genutzt werden können, so ist er der einzige, der seit dem frühen Altertum zu diesem Zweck systematisch aufgezogen wurde.*

23

Verfahren zur Beschleunigung oder Verlangsamung des Wachstumsprozesses. Die ausgewachsenen Raupen werden anschließend in angemessener Entfernung voneinander auf Weidensieben verteilt und mit Häcksel zugedeckt. Dort wird ihnen fünfunddreißig Tage lang, regelmäßig Tag und Nacht, das aus feingehackten Maulbeerblättern bestehende Futter verabreicht. Während dieser Zeit häuten sie sich viermal und fressen nach jeder Häutung eine größere Menge Blätter. Anfangs messen sie nur etwa zwei Millimeter, werden dann aber bis zu fünf Zentimetern groß und vertilgen etwa die zwanzigfache Menge ihres Eigengewichts an Blättern. Man braucht rund 30 Maulbeerbäume, um drei Kilogramm abgehaspelte Seide zu gewinnen.

Nachdem man die Raupen auf andere, von Strohkegeln überdachte und häufig sogar beheizte Weidenflechtmatten, die sorgfältig gegen Feuchtigkeit geschützt werden, aussetzt, beginnen sie ihren Kokon zu spinnen. Das nimmt nur wenige Tage in Anspruch. Nun werden die zur Zucht dienenden Kokons ausgesondert, und nach zehn Tagen werden die Schmetterlinge die Kokonhülle durchbohren und davonfliegen. Männchen und Weibchen werden sich

*Von den verschiedenen Maulbeerbaumarten war der weiße,* morus alba, *am ergiebigsten für die Seidenraupenzucht. Da er weder Blüten noch Früchte trägt, konzentrierten sich alle seine Wirkstoffe im Wachstum der Blätter, heißt es in der chinesischen Enzyklopädie* Tiangong kaiwu *aus dem 17. Jahrhundert.*

*Der* Bombyx mori *ist ein schwerfälliger Schmetterling, der nicht fliegen kann und sich keine Nahrung sucht und der in seinem recht kurzen Leben nur die Aufgabe hat, sich fortzupflanzen. Jedes Weibchen legt rund fünfhundert Eier ab* (rechts).

paaren, und gleich danach verendet das Männchen, während das Weibchen seine Eier ablegt. Die Eier werden eingesammelt und für einen neuen Produktionszyklus an einem kühlen Ort gelagert. Von den anderen Kokons wird der Seidenfaden abgehaspelt. Die dichtesten und weißesten ergeben die beste Seide. Um sie zu degummieren, setzt man sie heißem Wasserdampf aus oder taucht sie in ein Becken mit warmem Wasser. Mit Hilfe dieses Aufweichungsprozesses läßt sich der Kokon leichter abhaspeln, da der Seidenleim, der die einzelnen Fäden zusammenhält, schmilzt. Die Puppe wird vor dem Abhaspeln abgetötet, indem die Kokons unter Salzschichten aufbewahrt oder einfach erwärmt werden.

Nur unbeschädigte Kokons werden abgehaspelt, durchbohrte oder flekkige werden zertrennt und zu Ausschußware versponnen. Das Abhaspeln erfolgt mit einem Kamm, der die Fasern strähnt. Die obersten Fasern werden zu Bourretteseide verarbeitet, zur Wattierung von Kleidungsstücken oder Decken. Der ununterbrochene Kokonfaden, der eine Länge von mehr als 1500 Metern erreichen kann, wird ohne Drehungen filiert, und die Fäden mehrerer Kokons werden einer nach dem anderen aufgehaspelt. Für ein Kilogramm Seidenfaden benötigt man mehr als zehn Kilogramm Kokons.

Bei der Gewinnung des Seidenfadens mußte äußerst behutsam vorgegangen werden. Die Raupen waren offensichtlich empfindlich gegen Lärm, Gerüche, Wind und Temperaturschwankungen. Wer mit ihnen umging, mußte auf absolute Sauberkeit achten. Zumindest eine dieser Bedingungen, nämlich die Einhaltung konstanter Temperaturen, war auch den Römern nicht entgangen, obwohl sie von der Seidenproduktion nichts verstanden. Strabo führte die Tatsache, daß auf gewissen Bäumen »Wolle« wachse, auf das warme Klima in jenen fernen Landen zurück.

Im Tiangong kaiwu *heißt es, die Kokons seien je nach Herkunftsort gelb oder weiß. Sie hätten auch verschiedene Formen; die einen ähnelten bauchigen Trinkflaschen, die anderen Eibenfrüchten, und wieder andere sähen aus wie Nüsse. Benannt wurden sie ebenfalls nach ihrem Aussehen: rein weiß, getigert, ganz schwarz oder gefleckt. Doch Seide ergaben sie alle, auf die gleiche Art.*

*Die äußere Hülle des Kokons besteht aus einem lockeren Seidengespinst, während das Innere aus einem einzigen Faden gemacht ist, der bis zu 1500 m lang sein kann. Die Seide ist das Produkt zweier Drüsen, in Wirklichkeit also eine Absonderung oder Ausscheidung von Nahrungsresten der Seidenraupe.*

Ebenso ausgeklügelt wie die Gewinnung des Seidenfadens waren die Webtechniken. Die Seide war den anderen Naturfasern weit überlegen. Dies ist vielleicht auch eine der Ursachen dafür, daß die Weber des Abendlandes sich für sie interessierten und ihre Webmethoden modifizierten. Wie der Kunsthistoriker William Willetts hervorhob, liefert Seide besonders haltbare Kettfäden. Die Kettfadendichte pro Zentimeter war bei Seide zwei- bis dreimal höher als bei jeder anderen Faser. Und die Kette »muß ja dem ständigen Ruck des Kammes standhalten, der die Schußfäden dort aneinanderpreßt, wo nach und nach der Stoff entsteht«. Daß es im Abendland keinen soliden Kettfaden gab, setzte der Weberei Grenzen und erklärt die Vorrangstellung der Schußfäden gegenüber den Kettfäden bei den meisten alten abendländischen Textilien. Im Mittleren Osten und im Westen wurde Seide daher häufig zu Mischgeweben verarbeitet, wobei der Seidenfaden die Kette, und Leinen oder Wolle den Schußfaden stellte. Beispiele derartiger Mischgewebe wurden in Palmyra gefunden.

Die ältesten Webstühle dürften Spannerwebstühle gewesen sein. Bruchstücke einer solchen Vorrichtung aus Bronze wurden in Shizhishan in der Provinz Yunnan gefunden und dürften aus dem 2. Jahrhundert v. Chr. stammen. Von der Shang- bis zur Han-Dynastie gab es verschiedene Webstuhltypen. Durch den horizontalen mit Pedalen, der unter den Han aufkam, wurde der technische Ablauf verbessert und die Vielfalt der Seiden durch neue Webmethoden vergrößert. Das unter den Han weit verbreitete »Verkreuzen« macht

*Die Arbeitsvorgänge bei der Seidenherstellung und der Seidenraupenaufzucht liefen nach einem streng und sorgfältig ausgearbeiteten Schema ab. Sie waren Gegenstand einer umfangreichen Literatur und Ikonographie, wie beispielsweise der berühmten* Gengzhitu-*Tafeln, Tafeln des Pflügens und Webens, auf denen die Seidenraupenzucht ebenso verherrlicht*

*wird wie der Ackerbau. Hier sieht man die verschiedenen Etappen der Seidenraupenzucht: das Sammeln der Maulbeerblätter, das Aussortieren der Kokons, deren Seide versponnen werden soll, das Überwachen der Kokons, das Abhaspeln der Kokons, und schließlich das Entbasten und Färben des Seidenfadens.*

dem damastartigen Weben Platz, wobei das Muster nur auf der Oberseite des Stoffes sichtbar wird. Diesen Effekt erreicht man gewöhnlich, indem ein Kettfaden erst über drei Schußfäden, dann über einen und wieder über drei usw. geführt wird. Mehrfarbige Seiden, deren Webvorgang komplexer ist, tauchten vermutlich schon zur Zeit der »Kämpfenden Reiche« (475–222 v. Chr.) auf, fanden aber erst unter den Han weite Verbreitung. Dabei sind die Motive zumeist in Richtung der Kette eingewebt. Etliche Stoffreste aus dieser Zeit wurden gefunden und untersucht. Einige dieser Fundstücke stammen von Geschenken oder Tributleistungen, wie die in der Mongolei und in Sibirien, in Noin-Ula, Ilmova-Pad, Pazyryk und Oglakty gefundenen. Andere wiederum, die entlang der Seidenstraße entdeckt wurden, stammen aus Warenbeständen, die dort umgeschlagen wurden, wie z.B. diejenigen aus Juyan (Edsengol), Dunhuang, Loulan, Niya (China), Begram (Afghanistan), Kerch (Krim), Dura-Europos oder Palmyra (Syrien).

Einfarbige Seiden waren im ganzen eingefärbt, mehrfarbige jedoch fadenweise. Erst nach der Han-Dynastie kam das Batik-Verfahren auf, wobei der Stoff vor dem Färben an gewissen Stellen verknotet wurde, damit das Färbemittel nicht eindringen konnte.

In der Tang-Dynastie (618–907) kam in China eine neue, vom sassanidischen Persien beeinflußte Methode des Webens auf. Motive eindeutig iranischer Prägung wurden übernommen und gelangten bis Japan. Doch diese Motive wurden nicht mehr auf Kettfäden, sondern auf Schußfäden einge-

Die Seidenraupen verabscheuen feuchte Blätter; sie ekeln sich vor warmen Blättern.
Gerade erst geborene Raupen verabscheuen es, wenn Fisch oder Fleisch gesotten oder gebraten werden;
sie mögen es nicht, wenn in ihrer Nähe (Reis) zerstoßen wird; sie mögen es nicht, wenn auf dumpf klingende Gefäße geschlagen wird;
es beliebt ihnen nicht, als Amme eine Frau zu bekommen, die vor weniger als einem Monat niederkam;
sie ekeln sich, wenn ein Mann, der Wein mit sich trägt, ihnen Maulbeerblätter zu essen gibt, sie fortträgt und auf Leinwand verteilt.
Von der Geburt bis zu ihrer Reife verabscheuen
die Seidenspinner Rauch und Gerüche.

webt, wie es die Weber des Mittleren Orients taten. Nun zeigten die Stoffe Palmetten und Arabesken, aber auch Weintrauben, den Lebensbaum oder einander die Stirn bietende Tiere und vor allem Szenen von der Löwenjagd.

In der Shang-Dynastie schien die Seidenherstellung fast ausschließlich in den Händen des Kaiserhauses konzentriert zu sein, und noch unter den Zhou war sie auf die Aristokratie beschränkt. Seide diente zunächst zur Verzierung der Prunkgewänder für offizielle Zeremonien. König oder Königin zeichneten Personen von Adel für besondere Verdienste mit Seidengeweben aus. Nach und nach wurde Seide dann zum Tauschobjekt und später gar zum Zah-

Sie ekeln sich, wenn schmutzige Leute ins Seidenraupenhaus eintreten, im Seidenraupenhaus muß über Geruch und Schmutz vermieden werden.
*Wang Zhen (14. Jh.),* Nongsang tongjue *(Die Geheimnisse des Anbaus und der Zucht der Maulbeerbäume).*

Wenn das Abhaspeln der Kokons
inzwischen auch mehr oder
minder mechanisiert wurde, so
ist das Verfahren doch gleichge-
blieben. Laut Tiangong kaiwu
wurde mit einer Maschine ge-
haspelt. Ein Behälter mit
kochendem Wasser dient zur
Abtötung der Puppe, zur Auf-
weichung des Kokons und zur
Auflösung des Seidenleims. Von
der Anzahl der gleichzeitig ins
Wasser geworfenen Kokons
hängt es ab, ob der Faden rauh
oder fein wird. Eine Person vermochte pro Tag bis zu 30 Unzen
Seidenfaden (mehr als 1 kg)
abhaspeln, doch wenn die Seide
zur Turbanherstellung gedacht
war, wurden nur 20 Unzen
(etwa 750 g) abgehaspelt, da
die Fäden länger sein mußten.
Für Damast und Gaze warf
man nur 20 Kokons gleichzeitig
ins Wasser, für Turbane nur
etwa zehn. Das Wasser wurde
umgerührt, damit das Fadenen-
de sichtbar blieb und, falls der
Faden riß, wiedergefunden werden konnte. Dies war die
Methode, die in Huzhou, in Zhejiang, angewendet wurde. In
der Provinz Sichuan stand die
Maschine direkt über dem
Warmwasserkessel, und man
haspelte auch vier bis fünf
Fäden gleichzeitig ab. Diese
Methode dürfte auch Vorbild
gewesen sein für diejenige, die
heute noch in Khotan praktiziert wird.

Bereits im 7. Jahrhundert hatte
Xuanzang berichtet, die Leute
in Khotan seien geschickt im
Weben von seidenen Teppichen
und Stoffen. Noch heute stellt die
Seidenverarbeitung einen wichtigen Erwerbszweig der Stadt
dar. 1500 Personen sind in den
Werkstätten der Seidenproduktion beschäftigt.

lungsmittel. Unter den Zhou beispielsweise tauschte man fünf Sklaven gegen ein Pferd und einen Strang Seidengarn.

Die große Bedeutung der Seide und die Verehrung, die die Chinesen diesem edlen Produkt seit alters her erwiesen, wird durch die Etymologie faßbar. Ein Begriff wie *jing,* der zur Bezeichnung der klassischen Schriften des Konfuzianismus und später der buddhistischen Sutras verwendet wurde, bezeichnete ursprünglich eine Art Kamm zur Vorbereitung der Kette. Das Zeichen *zhi,* steuern, wurde anfangs für das Abhaspeln der Kokons verwendet. Das Wort *luan,* Chaos, Unordnung, stand für verwickelte Fäden, etc.

Die Opferriten, mit der man der Gottheit des Seidenspinners huldigte und über die wir durch Knochenorakel aus dem 13. und 12. Jahrhundert v. Chr.

*Das Motiv des bogenschießenden Jägers zu Pferde stammt von den Sassaniden. Man findet es auf der ganzen Seidenstraße, im Osten bis Japan und im Westen bis Frankreich, wie z.B. auf einem Stoff in der Abtei von Mozac.*

*Eine in der Nähe von Khotan entdeckte Malerei* (nebenstehendes Fragment) *wurde von Aurel Stein sofort als die Darstellung der Legende von der »Einführung« chinesischer Seide ins Königreich Khotan gedeutet. Im Kopfschmuck der Prinzessin sollen die Eier des Seidenspinners versteckt gewesen sein.*

Kenntnis haben, beweisen, welche Stellung die Seide im gesellschaftlichen und wirtschaftlichen Leben im China der Shang einnahm. Erst viel später richtete sich die Verehrung des Volkes auf eine andere Schutzgottheit der Seidenraupen und des Maulbeerbaums, auf Can nü, das Seidenspinner-Mädchen, besser bekannt unter dem Namen »Dame mit dem Pferdekopf«, Matou niang. Die Legende, die sie umgibt, ist recht merkwürdig. Zur Zeit des legendären Kaisers Gao Xin wurde Can nüs Vater von Wegelagerern entführt, und sein Pferd kehrte allein zum Stall zurück. Can nüs Mutter leistete den Schwur, ihre Tochter mit demjenigen zu verheiraten, der den Vater zurückbrächte. Da niemand sich zu seiner Rettung aufraffen konnte, stürmte das Pferd los, um ihn zu suchen. Es brachte Can nüs Vater zurück. Wieder heimgekehrt, wieherte das Pferd ohne Unterlaß und verweigerte Futter und Wasser. In einem Wutausbruch tötete es der Vater und legte seine Haut im Hof zum Trocknen aus. Doch als das Mädchen über den Hof kam, fuhr die Pferdehaut hoch, umhüllte Can nü und flog mit ihr auf einen Maulbeerbaum, wo das Mädchen in eine Seidenraupe verwandelt wurde. Die »Dame mit dem Pferdekopf« wurde vor allem in der Provinz Sichuan verehrt.

## Die Übermittlung des Geheimnisses

Wie mehrere andere Techniken, insbesondere die der Papierherstellung, sickerten auch die Techniken der Seidenraupenzucht äußerst langsam in den Westen durch. Die spärlichen chronologischen Anhaltspunkte wurzeln wiederum vorwiegend in Legenden. Die Chroniken der chinesischen Dynastien erwähnen in der Beschreibung der Westländer die Seidenproduktion in den Regionen Turkestans erst im 5. Jahrhundert. Man glaubte zwar, Seide als Produkt der Seidenraupe würde auch im Römischen Reich hergestellt, doch wie weit beruhte die Beschreibung der Bräuche dieser Großen Qin auf Phantasie? Von allen den Chinesen bekannten zentralasiatischen Königreichen wird nur denen von Yanqi (Karashar) und Yutian (Khotan) eine Betätigung in der Zucht von Maulbeerbäumen und Seidenspinnern zugesprochen. Doch auch diese Tatsache wird erst vom 6. Jahrhundert an im *Wei shu,* der Geschichte der Wei, erwähnt. In Yanqi züchtete man zwar Seidenraupen, doch nicht in der Absicht, Seidenstoffe herzustellen, sondern einzig für Wattierung und Futtermaterialien. Von Khotan heißt es, die Bodenbeschaffenheit des Königreiches eigne sich für die »Fünf Getreide«, für den Maulbeerbaum und den Hanf. Wurden dort auch Seidenraupen gezüchtet? Wahrscheinlich. Der berühmte buddhistische Pilger Xuanzang (602–664) jedenfalls berichtet die Legende von der Einführung der Seidenraupenzucht in Khotan:

»Einst kannten die Menschen dieses Landes den Maulbeerbaum und die Seidenraupe nicht. Sie erbaten sie aus dem Königreich des Ostens, wo man sie besaß, und schickten einen Gesandten hin, um sie abzuholen. Doch in diesem Augenblick verwehrte ihm der Prinz des Königreichs im Osten die Preisgabe des Geheimnisses und wollte ihm nichts abtreten. In strengen Worten hatte er die Grenzwachen angewiesen, keinen Maulbeersamen oder Seidenraupen hinauszulassen. Der König von Jusadanna (Khotan) bat daraufhin mit unterwürfigen Worten und gemäß den Riten der Ehrerbietung darum, eine Frau aus dem Königreich des Ostens ehelichen zu dürfen. Der Prinz des Königreiches, der den fernen Volksstämmen wohlgesonnen war, gab dieser Bitte statt. Der König von Jusadanna befahl einem Boten, seine Gattin abzuholen und trug ihm folgendes auf: ›Sagt der Prinzessin des Königreichs des Ostens, daß unser Land nie Seide und Watte und auch keinen Maulbeerbaum und Seidenraupen besessen hat. Wenn sie sich Kleider fertigen wolle, müsse sie welche mitbringen.‹ Nachdem das junge Mädchen diese Worte vernommen hatte, ließ sie sich heimlich Maulbeersamen und Seidenraupen bringen, die sie im Futterstoff ihres Kopfputzes verbarg. Als sie an die Grenze kam, kontrollierte der oberste Wachposten alles, doch die Kopfbedeckung der Prinzessin wagte er nicht zu untersuchen. So gelangte sie ins Königreich Jusa-

Morus alba, *Maulbeerbaumart, die den Seidenraupen in China als Nahrung dient. Nach alter Sitte pflanzte man über wilde, widerstandsfähigere Maulbeerbäume stets veredelte Arten mit dicken, großen Blättern.*

danna … Als es Frühling wurde, pflanzte man die Maulbeerbäume, und als der Monat der Seidenraupen nahte, pflückte man emsig ihre Nahrung. Anfangs mußte man sie mit mancherlei Blättern füttern, doch nach einiger Zeit standen auch die Maulbeerbäume in vollem Blätterschmuck. Nun wurde ein Erlaß der Königin in Stein graviert: ›Es ist verboten, die Seidenraupen zu töten, und die Kokons werden erst abgehaspelt, sobald die Schmetterlinge ausgeflogen sind.‹«

Diese Legende wurde später in das *Tang shu,* die »Geschichte der Tang«, aufgenommen, ohne daß sich präzisieren ließe, aus welcher Zeit sie stammt, vermutlich aus der Mitte des 5. Jahrhunderts. Und was war mit diesem Königreich des Ostens gemeint? War es China, wie man zu glauben versucht ist, oder ein Nachbarland, wie es in der Geschichte der Tang heißt? Wohl eher China. Zumindest, wenn man einer anderen Version dieser Legende, diesmal tibetischer Herkunft, glaubt, die in der »Prophezeiung des Landes Li« (Khotan) vorkommt.

Ein König von Khotan namens Vijaya Jaya hatte eine Tochter eines Königs von China, eine gewisse Punyesvara, zur Frau genommen. Diese hatte mit der Seidenraupenzucht begonnen, für die sie Samen mitgebracht hatte. Doch als die Raupen noch nicht ausgewachsen waren, hielten unwissende Minister diese für Giftschlangen und ängstigten sich wegen der Gefahren, die die Tiere darstellen könnten, sobald sie erst einmal groß wären. Daher erließ der König den Befehl, das Seidenraupenhaus in Flammen zu setzen. Weil die Königin dem König nicht erklären konnte, was es in Wirklichkeit damit auf sich hatte, entnahm sie ein paar Seidenraupen und zog diese heimlich groß. Auf diese Weise gelang es ihr, Seide zu gewinnen. Diese webte sie und zeigte sie dem König, wobei sie ihm alles erklärte. Es reute den König, die Seidenraupen getötet zu haben, und zur Sühne gründete er ein buddhistisches Kloster. Dies soll der Beginn der Seidenraupenzucht in Khotan gewesen sein.

Die Verfahrensweisen der Seidengewinnung verbreiteten sich von Khotan aus in westlicher Richtung, so daß das Abendland nach und nach davon Kenntnis erhielt. Schon Pausanias gibt eine genauere Beschreibung und erwähnt auch nicht mehr den »Wollbaum« seiner Vorgänger, selbst wenn sein Bericht von der Realität auch noch weit entfernt ist:

»Die Fäden aber, aus denen die Serer die Kleider herstellen, sind aus keinem Bast, sondern sie entstehen auf folgende Weise: Es gibt in dem Land bei ihnen ein kleines Tier, das die Griechen *ser* nennen, (das) von den Serern selbst aber irgendwie anders und nicht als *ser* bezeichnet wird. Es ist doppelt so groß wie die größten Kantharoi-Käfer, sonst gleicht es den Spinnen, die unterhalb der Bäume spinnen, und es hat acht Füße an der Zahl wie die Spinnen. Diese Tiere ziehen die Serer auf, nachdem sie für die Zeit des Winters und Sommers (für diese) geeignete Häuser hergestellt haben. Als Werk der Tiere findet man einen dünnen Faden, der um ihre Füße gewickelt ist. Sie (die Serer) ernähren sie vier Jahre, wobei sie ihnen als Nahrung Hirse bieten, im fünften aber — denn sie wissen, daß sie nicht länger leben — geben sie ihnen gelbe Getreidehalme zu fressen.

Das ist die allersüßeste Nahrung für das Tier und, wenn es von den Halmen gesättigt ist, zerbricht es durch die Übersättigung, und nachdem es so verendet ist, finden sie (die Serer) das meiste des Fadens innen« (*Beschreibung Griechenlands,* VI, 26).

*In der Renaissance galt das Weben der Seide als hohe Kunst. Die Seidenindustrie entwickelte sich in Frankreich unter Ludwig XI. (1461–1483), doch erst unter François I. (1515–1547) wurde sie allmählich zum Symbol der Stadt Lyon. Oben: Porträt François I. von Jean Clouet.*

*In einer Grabstätte im Elburs-Gebirge, im kaukasischen Moshchevaya Barka, wurde 1969 ein chinesisches Seidengewand gefunden, das vermutlich aus der Zeit der Tang stammt und bei dem ein mit chinesischen Zeichen beschriebenes Papierfragment lag (Museum der Eremitage).*

Rechts: *In der türkischen Textilindustrie nimmt die Seide einen wichtigen Platz ein. Der Kokon-Markt von Bursa ist berühmt; er findet jedes Jahr im Juni statt.*

*Seidendamast mit dem »Tier des guten Omens«. Aus der Dynastie der Jin (265–420), in Turfan gefunden.*

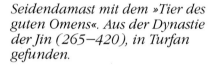

*Seidendamast mit einem Motiv von Bäumen, Schafen und Vogelpaaren. 5.–6. Jahrhundert, in Turfan gefunden.*

Im Abendland wird die Technik der Seidenraupenzucht trotz allem erst im 6. Jahrhundert n. Chr. bekannt, und zur Anwendung gelangte sie im oströmischen Reich, in Byzanz. Dafür waren vorwiegend wirtschaftliche Gründe ausschlaggebend, denn der Preis für Seide hatte sich im Laufe der Zeit nicht etwa verringert, zumal in Byzanz große Nachfrage bestand, da man dort Seide nicht nur für die Kleidung verwendete, sondern auch für Verzierungen, liturgische Gewänder, Behänge etc. Es waren überwiegend persische Händler, die das Geschäft abwickelten, sowohl auf den Land-, wie auch auf den Seewegen. Die aus Indien eintreffenden Frachten wurden systematisch von den Persern aufgekauft. Daher hatte Kaiser Justinian (der von 527–565 regierte) eine Direktverbindung durch das Rote Meer erschlossen, indem er sich mit dem König von Aksum (Äthiopien) verbündete. Daß das byzantinische Reich Schwierigkeiten hatte, genügend Seide zu bekommen, war nicht zuletzt auf die Kriege mit den Persern zurückzuführen. Das Ansteigen des Preises für die Seide bewirkte den Niedergang privater Webereien; von nun an wurde in kaiserlichen Werkstätten, in Frauengemächern, gearbeitet, die auch das Monopol des Einkaufs und des Webens besaßen.

Ungefähr zur gleichen Zeit, um die Mitte des 6. Jahrhunderts, trat das Ereignis ein, das die Abhängigkeit des byzantinischen Reichs vom sassanidischen Persien entscheidend verringern sollte. Hören wir, was Prokopios aus Caesarea (gest. 562) dazu sagte:

»Zu dieser Zeit kamen einige Mönche aus Indien, und da sie sahen, daß dem Kaiser Justinian daran gelegen sei, daß die Römer ihre Seide nicht mehr von den Persern kauften, begaben sie sich zum Kaiser und versprachen ihm, die Seidenfrage derart lösen zu wollen, daß die Römer diese Ware nicht mehr von ihren persischen Feinden oder von einem anderen Volke beziehen müßten. Sie hätten nämlich lange Zeit in einem Lande gelebt, das jenseits der meisten indischen Völkerschaften liege und Serinda heiße, und so genau erfahren, auf welche Weise die Seide im Römerreich erzeugt werden könne. Als daraufhin der Kaiser immer weiter nachforschte und fragte, ob denn die Aussagen auf Wahrheit beruhten, erklärten die Mönche, die Seide sei das Erzeugnis einer gewissen Art von Würmern; ihre Lehrmeisterin aber sei die Natur, die sie zu unablässiger Arbeit zwinge. Lebend freilich könne man diese Würmer unmöglich herbeischaffen, doch sei dies mit ihrer Brut eine ganz einfache und leichte Sache. Die Brut dieser Würmer aber bestehe in Eiern, von denen jeder eine zahllose Menge lege. Lange nach der Ablage bedecke man diese Eier mit Mist, worauf dann die Wärme in entsprechender Zeit die Tierchen auskriechen lasse. Soweit die Ausführungen der Mönche. Der Kaiser aber versprach ihnen reiche Geschenke und gewann sie dadurch, ihr Wort in die Tat umzusetzen. Sie begaben sich wieder nach Serinda und brachten die Eier nach Byzanz. Nachdem sie auf die erwähnte Art daraus Würmer gezogen hatten, fütterten sie diese mit Maulbeerblättern und erreichten so, daß nunmehr auf römischem Boden Seide erzeugt wurde« (*Geschichte des Krieges gegen die Gothen*, IV, 17).

Man weiß weder, woher diese Mönche kamen, noch welcher Religion sie angehörten. Laut Theophanes von Byzanz (ca. 750–817), der die gleiche Anekdote berichtet, wurde die Seidenraupenzucht durch einen Perser, der aus dem Land der Serer kam, eingeführt. In Wirklichkeit hatte diese Episode keine unmittelbaren Auswirkungen. Die Perser behielten noch eine Zeitlang das Monopol des Seidenhandels. Doch unter Justin II. (567–578) wurde dank der Mission des sogdischen Händlers Maniakh, der von dem kurz zuvor in Oberasien entstandenen Kaiserreich der Westtürken nach Byzanz gesandt worden war, eine neue Seidenstraße nördlich des Kaspischen und nördlich des Schwarzen Meers eröffnet. Von diesem Zeitpunkt an wurde die Rolle der Sogden im Seidenhandel und im Geschäftsverkehr mit anderen Produkten höchst bedeutsam, vergleichbar mit der der Griechen oder Juden.

Die nächste Etappe der Seidenherstellungstechniken wurde erst fünfhundert Jahre später genommen: zur Zeit der Kreuzzüge, als Roger II., König von Sizilien, bei seinen Überfällen auf Theben, Athen und Korinth im Jahre 1146 Weber und Sticker bis nach Palermo verschleppte. Doch es sollte noch ein Jahrhundert dauern, bis die Seidenraupenzucht von Sizilien aus nach Italien, nach Lucca, Venedig und Florenz gelangte.

*Die Aufzucht der Seidenraupen wird in der Türkei häufig in Familienbetrieben durchgeführt. Hier sammeln die Familienmitglieder die in den Ästen der Maulbeerbäume verstreuten Kokons ein. Das türkische Verfahren der Seidenraupenaufzucht weicht von den chinesischen Gebräuchen nur geringfügig ab.*

*Wenn genügend Maulbeerblätter gesammelt sind, werden sie auf Esel verladen und zum Seidenraupenhaus gebracht.*

# ENTLANG DER GROSSEN MAUER

## VOM ZENTRUM DER MACHT BIS ZUM LETZTEN BOLLWERK

Seite 39: *Malerei aus der Frühzeit der Tang: Illustration der* Vimalakirti-Sutra. *Dieses Gemälde befindet sich auf der Ostwand der Höhle 220 von Dunhuang. Hier sehen wir den Kaiser von China und seine Minister. Der Stil der Darstellung ist dem des berühmten Malers Yan Liben (gest. 673) nahe verwandt; ein im Museum von Boston aufbewahrtes Gemälde Yans, den Kaiser Wu der Jin darstellend, ist diesem hier sehr ähnlich. Daran läßt sich der Einfluß der Malerei Zentralchinas auf die der entfernteren Gegenden wie Dunhuang ermessen.*

A usgangspunkt für alle zu den »Westlanden« führenden Wege, die sowohl die Händler als auch die buddhistischen Pilger benutzten, war die chinesische Hauptstadt, genauer gesagt, eine der beiden Hauptstädte, und zwar die westliche: Chang'an. Im heutigen Xi'an in der Provinz Shaanxi, das dort errichtet wurde, wo einst die Tang-Metropole Chang'an stand, finden wir noch Denkmäler jener Zeit, die restauriert oder zumeist wiederaufgebaut wurden.

Eine Beschreibung der Stadt unter den Tang aus dem Jahre 815 verdanken wir dem Reisenden Ibn-Wahab, dessen Beobachtungen ein Jahrhundert später der arabische Schriftsteller Abu Zaid wiedergab:

»Die Stadt war sehr groß und die Bevölkerung äußerst zahlreich. Eine lange und breite Straße teilte sie in zwei Hälften, die sehr viel Raum boten. Der Kaiser, seine Minister, seine Garde, der oberste Richter, die Eunuchen und alle, die zum kaiserlichen Hofstaat gehörten, bewohnten den Ostteil der Stadt. Das Volk hatte keinerlei Verbindung dorthin und keinen Zutritt zu jenem üppig bewässerten Stadtteil mit den vielen Kanälen, an deren Ufern Bäume gepflanzt waren und prächtige Herrschaftshäuser sich reihten. Das Volk und die Händler lebten im Westteil der Stadt. Dort gab es große Plätze und Märkte mit allem Lebensnotwendigen. Frühmorgens konnte man beobachten, wie Beamte des Kaiserhauses, Lieferanten und Domestiken der bei Hofe hohe Ämter bekleidenden Personen diesen Stadtteil mit den Märkten und den Händlerbehausungen aufsuchten, um alles, wonach es sie gelüstete, einzukaufen und erst am nächsten Morgen wiederzukommen.«

Aus dieser Zeit stammt noch die Große Wildganspagode Dayan ta. In ihr soll der berühmte Pilgermönch Xuanzang (596–664) die buddhistischen Schriften, die er aus Indien mitgebracht hatte, hinterlegt haben. Zu sehen sind ferner die Kleine Wildganspagode Xiaoyan ta, die etwas später, gegen Ende des 7. Jahrhunderts, von der Kaiserin Wu Zetian errichtet wurde, sowie die Große Moschee, Qingzhen si, deren Ursprung auf das Jahr 742 zurückgeht, der Stelenhain mit seinen mehr als 1100 Stelen, und mehrere Tempel.

Auf chinesischem Territorium war die Seidenstraße von den Han bis zu den Ming geschützt durch die Große Mauer, jenen befestigten Grenzwall, der je nach Epoche mehr oder weniger wirkungsvoll die Nomadeneinfälle abblockte. Die nach Westen verlaufende Route zieht zunächst das Wei-Tal hinauf. Entlang der ganzen Strecke in Richtung Zentralasien und Indien finden sich buddhistische Kultstätten, deren bedeutendstes Beispiel die überaus reich ausgestatteten Höhlentempel sind. Die bekanntesten sind die Longmen-Grotten, gleich östlich von Chang'an, in der Nähe von Luoyang, der Hauptstadt der späten Han-Dynastie, sowie die von Yungang, in der Nähe von Datong, der ehemaligen Hauptstadt der Nördlichen Wei (386–535). Beiden ist gemeinsam, daß sie im 5. Jahrhundert unter der Herrschaft der Wei-Dynastie gegraben und ausgemeißelt wurden.

Folgt man der Seidenstraße in Richtung Zentralasien, so gelangt man im Tal des Flusses Wei (Provinz Gansu) nach Maijishan in der Nähe von Tianshui, einem wegen seiner buddhistischen Kulthöhlen berühmten Orte, denn hier gibt es rund 190 Grotten mit Wandmalereien und Skulpturen. Etwas weiter westlich, in der Nähe von Lanzhou, befinden sich an einem einzigartig schönen Platz die Bingling si-Grotten.

Am Ortsausgang von Lanzhou verläuft die Route nordwestlich durch den sogenannten Hexi- oder Gansu-Korridor, jenen Engpaß zwischen den Qilian-Bergen im Süden und der Wüste Gobi im Norden. In diesem Korridor hatten die Früheren Han zu Beginn des 1. Jahrhunderts unserer Zeitrechnung die vier Kommanderien Wuwei, Zhangye, Jiuquan und Dunhuang errichtet, nachdem diese Gebiete aufgrund der Feldzüge des Generals Hu Qubing annektiert worden waren. In Verbindung mit den beiden Sperrmauern von Yumen und Yang war um die vier Garnisonen ein Verteidigungsring gezogen worden, um den freien Durchgang zu gewährleisten. Ein Wehrgang wurde aufgebaut, bis hin zu den Sperrmauern. Alle Handelskarawanen, die nach Westen zogen oder von dorther kamen, mußten diesen Korridor passieren.

Wuwei, unter der Tang-Dynastie als Liangzhou bekannt, war zu der Zeit, als der Pilger Xuanzang dort Station machte, Treffpunkt der Händler aus allen »Westlanden«. Hier wurde überprüft, wer chinesisches Hoheitsgebiet betrat oder verließ: Xuanzang, dem man abgeraten hatte, ohne Genehmigung auszureisen, zog es vor, sich heimlich davonzustehlen.

Ein wenig abseits der heutigen Straße, am Fluß Edsengol, liegt Karakhoto, die Schwarze Stadt, von Marco Polo Ezina genannt. Damals lag es auf dem Weg nach Karakorum, der Mongolenhauptstadt des 13. Jahrhunderts, bevor Kublai seine Residenz nach Khanbalik verlegte. Karakhoto, die Tangutenstadt, die zu Pferde von Ganzhou aus in zwölf Tagereisen erreicht werden konnte, war die letzte Etappe vor den Beschwernissen der Wüste Gobi. Laut Marco war es keine Handelsstadt; Kamele und Vieh gab es in großer Zahl. Die Falken der Stadt Karakhoto waren weithin berühmt.

1974 wurde bei Grabungen im Mausoleum des Ersten Kaisers von China, Qin Shihuang Di, in der Nähe von Xi'an eine Armee aus rund siebentausend Terrakotta-Soldaten gefunden, die die Grabstelle bewachen sollten.

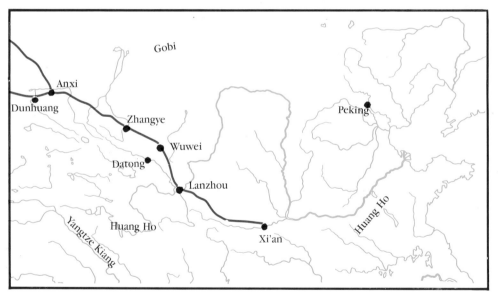

Seite 41 links: »Die Große Wildganspagode«, Dayan ta, befindet sich in dem im 7. Jahrhundert erbauten Kloster des »Großen Wohlwollens«, Da Ci'en si. Hier ließ sich nach seiner Rückkehr aus Indien der Pilger Xuanzang nieder, um an seiner Übersetzung der mitgebrachten buddhistischen Texte zu arbeiten. Die um 647/48 erbaute Pagode, in der die Werke verwahrt wurden, war ursprünglich fünfgeschossig; bei Restaurierungsarbeiten im 8. Jahrhundert wurde sie um zwei Geschosse erhöht. Durch einen Brand im 11. Jahrhundert teilweise zerstört, wurde sie erst im 16. Jahrhundert wieder restauriert.

# Chang'an, Hauptstadt der Tang-Dynastie

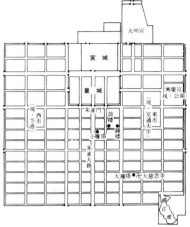

*Wie die meisten Städte des alten China, war auch Chang'an quadratisch angelegt. Der rekonstruierte Plan zeigt die östliche Hauptstadt zur Zeit der Tang. Südöstlich des Kaiserpalastes steht die mächtige »Große Wildganspagode«.*

*Die große Moschee von Chang'an, Qingzhensi, wurde im Jahre 472 unter den Tang errichtet, doch die noch erhaltenen Bauten stammen vom Ende des 14. Jahrhunderts. Das Minarett zeigt eindeutig chinesischen Stil.*

41

# Die Wasserräder des Herrn Zuo

»Wir trafen unterwegs auf mehrere Wassermühlen, großartig in ihrer Schlichtheit, wie alles, was Chinesen erbaut haben. In diesen Mühlen bewegt sich der obere Mühlstein nicht; nur der untere wird durch ein einziges Rad, welches der Wasserlauf in Bewegung hält, angetrieben. Um diese Mühlen arbeiten zu lassen, die häufig von beträchtlichen Ausmaßen sind, genügt eine sehr geringe Wassermenge; man läßt das Wasser nämlich wie einen Sturzbach aus mindestens zwanzig Fuß Höhe herabfallen.«

*Übers. aus: R.-E. Huc, Souvenirs d'un Voyage dans la Tatarie et le Thibet*

*Diese Wasserräder oder* noria, *mit einem Durchmesser von 18 m, pumpen das Wasser des Gelben Flusses in die Kulturen. Ihr Ursprung ist ungewiß. Es heißt, ein gewisser Zuo Zongdao, oberster Vertreter einer Minderheit dieser Gegend, habe dieses Verfahren entwickelt, und daher nennt man sie die »Wasserräder des Herrn Zuo«.*

# Der gelbe Fluß

*Der Gelbe Fluß entspringt im Bayan Khara-Massiv, in der Provinz Qinghai. Zahlreiche Legenden beziehen sich auf ihn. In seinem Oberlauf bewässert er die Gegend um Lanzhou (Abb. unten).*
*Etwa hundert Kilometer westlich dieser Stadt liegt am Ufer des Gelben Flusses, per Schiff erreichbar, der Grottentempel*

»Immer häufiger trat der Gelbe Fluß über die Ufer und verwüstete das Reich der Mitte. Vor allem Yu der Große beschäftigte sich mit diesem Problem.

Er berücksichtigte bei seinen Überlegungen den Umstand, daß der Quellort des Flusses sehr hoch lag und daß deshalb seine Wasser schnell und reißend waren. Dies machte es für ihn schwierig, sie in die Ebene zu leiten; zahlreiche Überschwemmungen waren die Folge. Yu leitete den Fluß schließlich in zwei Kanäle, um seinen Lauf besser bestimmen zu können.«
*Sima Qian (Mémoires historiques), 29*

*von Bingling (rechte Seite). Vor relativ kurzer Zeit erst haben die Archäologen die Anlage wiederentdeckt, nachdem sie bis 1952 »vergessen« worden war. Unter den Tang als »Kloster der übernatürlichen Felsküste«, Lingyansi, bekannt, erhielt sie, als aus ihr zur Zeit der Yuan-Dynastie ein Lama-Kloster wurde, ihren heutigen Namen.*

# Die Grotten von Bingling si

Bingling ist eine Transkription des Tibetischen für »Zehntausend Buddhas«, ein oft für buddhistische Höhlentempel verwandter Name. Bereits seit den Tang kannte man diese Anlage, von der dreiundachtzig Grotten oder Nischen erhalten sind, deren älteste in die Dynastie der Westlichen Qin (385—431), also bis zum Beginn des 5. Jahrhunderts zurückreichen. Die wichtigsten und interessantesten dieser in drei Gruppen eingeteilten Grotten befinden sich im sogenannten »Unteren Kloster«. Rund zehn Grotten oder Nischen stammen aus der Zeit der Wei, rund hundert von den Tang und sechs aus der Zeit der Ming (1368—1644). In einer Wei-Grotte (Nr. 80) ist an der Felswand eine Inschrift aus dem Jahre 520 erhalten, die den Wunsch des Stifters, auf dessen Wunsch hin diese Grotte gegraben und ausgeschmückt wurde, erklärt:
»Qao Ziyuan ließ diese Grotte bauen für seine Majestät, den Kaiser, seine Offiziere, seine verschiedenen Beamten und sein Volk und für sieben Generationen seiner Vorfahren. Mögen sein Vater und seine Mutter und seine Verwandtschaft wiedergeboren werden im Paradies des Westens und alle Lebewesen das Glück finden.«
Die Grotten des Bingling sind mehrmals restauriert und renoviert worden. Zwei große Buddha-Statuen wurden dort aus dem Stein gehauen. Die größte ist aus der Zeit der Tang; sie mißt 27 m. Ihr oberer Teil besteht aus Stein, während der untere aus Lehm geformt wurde.

# Die vielfältigen Darstellungen Buddhas

Die Grotten waren zunächst unter dem Namen Tangshu-Grotten bekannt, einer Transkription ihres Namens in einen tibetischen Dialekt mit der Bedeutung »Dämonen-Grotten«. Dem Buddhismus wurde hier bereits seit der Jin-Dynastie gehuldigt, wie in einer buddhistischen Enzyklopädie aus dem 7. Jahrhundert, dem *Fayuan zhulin* (668) des Mönchs Daoshi (gest. 683) zu lesen ist:

»Zu Beginn der Jin-Dynastie wurde im Tangshu-Tal in der Präfektur des (gelben) Flusses das Kloster gegründet. Es liegt 50 Li nordwestlich von Hezhou (heute Yongjing). Wenn man die Fengli-Furt durchquert und den Changyi-Paß erklimmt, so erblickt man im Süden die berühmten Berge der aufgehäuften Steine; das ist der höchste Punkt, an dem Yu der Große den Lauf (des Gelben Flusses) lenkte. Alle Bergzacken ragen dort in den

*Die Grotte 172 mit dieser Statue des Buddha scheint aus der Zeit der Nördlichen Zhou (557–581) zu stammen, wurde jedoch unter den Ming restauriert.*
*Grotte 169 ist eine Naturhöhle und wurde, wie die einzige noch erhaltene Inschrift bezeugt, im Jahre 420 ausgestaltet. Oben rechts sehen Sie drei stehende Buddhas in einem von Zentralasien beeinflußten Stil. Sie stammen vermutlich aus dem 5. Jahrhundert.*

außergewöhnlichsten Formen empor. Wenn man zwanzig Li gen Süden marschiert, gelangt man zu dieser Felsschlucht. Der Berg wurde ausgehöhlt, und Grotten wurden eingerichtet, Steige führen bis zum Wasser hinunter... Südlich gibt es, am Flußufer, eine steinerne Tür. Dort ist folgender Text in den Stein geritzt: Gegründet in den *taishi*-Jahren der Jin (das heißt 355–363). In der Schlucht östlich dieses Klosters liegt das Kloster des Vollkommenen Himmels. Selbst wenn man aufmerksam um sich blickt, kann man nur mit Mühe hingelangen. Oft wird Glockengeläut hörbar, und außergewöhnliche Mönche gibt es dort. Daher nennt man diese Schlucht auch Tangshu, was im *qiang*-Dialekt ›Dämon‹ bedeutet.«

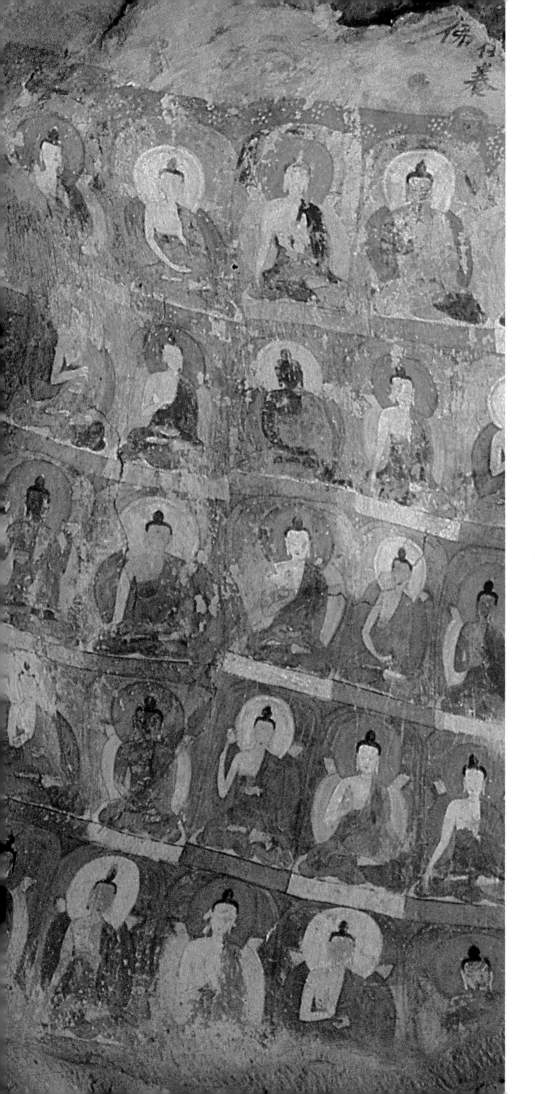

Links: *Die Bingling si-Grotten sind nicht nur mit Statuen, sondern auch mit Malereien geschmückt. Die Wände der Grotte 172 sind mit zahlreichen Darstellungen kleiner Buddhas bemalt. Sie sitzen in den verschiedensten Haltungen und mit unterschiedlicher ritueller Gestik (Mudrâ), die einem strengen Kodex folgt.*

*Obige Abbildung zeigt einen vajra-Träger oder* jinghang lishi, *in der Höhle 172. Diese Wächter- und Schutzgottheit stand für gewöhnlich in der Nähe des Eingangs.*

49

# Die »Militärpferde«
von Gansu

*Die »Militärpferde«, die noch heute im Raum Shandan gezogen werden, stammen aus einer Kreuzung von kleinen, aber widerstandsfähigen Mongolenpferden und größeren Kazakh-Pferden.*

*In Leitai bei Wuwei, im Hexi-Korridor, wurden 1969 in einem Grab aus der Zeit der Späteren Han (25–220)*

*Bronzepferde entdeckt, zu denen das berühmte fliegende Pferd (feima) mit dem Huf auf einer Schwalbe gehört. Unter anderem fand man dort aber auch Reiter und Wagen.*

# Die Minderheiten des Hexi-Korridors

In der Geschichte ist die Große Mauer Chinas das deutlichste Beispiel für eine Grenze. »Jenseits der Mauer gehört es ihnen; diesseits der Mauer uns.« Doch im Leben der Menschen und im Geschick der Dynastien war mit der Großen Mauer nur die Begrenzung zu einer benachbarten Zone gesteckt... Das Grenzkonzept konnte nicht aufgehen, denn es standen sich ja nicht zwei völlig entgegengesetzte Gesellschaften gegenüber. Vom Neolithikum bis ins 20. Jahrhundert gab es in der Mongolei immer wieder stellenweise bebautes Land; und später modifizierte der Handel das Nomadenleben. Die Nomaden mußten nämlich außer Weizen und Hirse, die in geringen Mengen in der Mongolei angebaut wurden, Getreide aus China importieren. Für die Nomaden war das zwar keine absolute Notwendigkeit, aber auch kein Luxus. Sie selbst konnten sich durchaus auf eine aus Fleisch, Milch und

*In den Regionen entlang der Großen Mauer leben, in heutzutage autonomen Gebieten, verschiedene, nicht-chinesische Volksstämme: Mongolen, Tibeter, Dongxiangs, Bao'ans, Yugus und andere.*

*Rechte Seite: Die Große Mauer, von der hier nur noch Reste zu sehen sind, wurde zum Schutz der chinesischen Völker gegen die Überfälle der Xiongnu errichtet. Sie trennte zwei Bevölkerungstypen, Ackerbauer und Viehzüchter, die Seßhaften und die Nomaden, zwei einander Widerpart bietende Zivilisationstypen. Zwar war die Mauer in erster Linie Bollwerk, doch fand an ihr auch vielfältiger Austausch statt.*

Milchprodukten bestehende Kost beschränken, doch das Kornfutter diente zur Sicherung des Wertes ihrer Herden. Ein Schaf bedeutete Ertrag, war aber auch neues Kapital. Selbst ein kastriertes Schaf brachte dank seiner Wolle regelmäßig Gewinn; wurde ein Schaf geschlachtet, war der Gewinn liquidiert und das Kapital verbraucht und seine Produktivität beendet.
*Owen Lattimore, Nomaden und Kommissare*

# Die Yugu, Viehzüchter und Nomaden

Dies ist das Zelt einer Barbarenfamilie;
Jahr für Jahr steht es hier im Gras.
Im Sommer wird es mit Filz bespannt;
im Winter mit Fellhäuten behängt.
Mit Mühe versteht man ihre Sprache.
Von einem Morgen zum anderen weiden sie die Pferde auf dem
Brachland der Hügel.

*Manuskript aus Dunhuang, Stein 2607*
*(Übers. aus der franz. Fassung von P. Demiéville)*

*Verschiedene Volksgruppen leben im Hexi-Korridor. Eine dieser nicht-chinesischen Minderheiten, die südlich von Jiuquan in den Quilian-Bergen leben, sind die Yugu, ein Volk von Damwild- und Schafzüchtern, das in einem autonomen Bezirk lebt und sowohl tibetischen als auch uighurischen und mongolischen Traditionen verpflichtet ist.*

»Sie kleiden sich in Zobelfelle. Im Sommer tragen sie den Pelz nach außen und im Winter nach innen. Sie haben noch allerlei andere Pelze, die sie immer auf die gleiche Art tragen. Auch ihr Bettzeug und ihre Teppiche bestehen aus Pelzen und Schafleder. Ihr Nähgarn sind Schafsnerven und ihre Stricke Schafsdarm. Eine Stahlnadel ist bei ihnen ein Luxusobjekt, das sehr viel kostet. Für eine einzige Nadel geben sie einem ein Schaf. Sie besitzen große Herden wilder Kleinpferde, Kamele und Schafe. Sie ernähren sich von Gazellen, wilden Kleinpferden und wilden Kamelen sowie von den in ihren Landstrichen reichlich vorhandenen Wildarten.«

*Sayyid Ali-Akber Khitayi, Traktat über China*
*(Übers. aus der franz. Fassung von Aly Mazaheri)*

*Die Kamele, diese »Wüstenschiffe«, vermochten pro Tag etwa 40 km zurückzulegen; das entsprach in etwa der Entfernung zwischen zwei Oasen.*

Folgende Doppelseite: *Die Qui-lian-Berge, auch* Nanshan, *Berge des Südens, genannt, bilden die südliche Begrenzung des Hexi-Korridors. Sie erstrecken sich auf etwa 800 km Länge und erreichen eine Höhe von 4000 m.*

55

# Das Kloster des Schlafenden Buddha

*Das Kloster des Großen Buddha, Dafo si, oder des Schlafenden Buddha, Shuifo si, wurde im Jahre 1098 unter der Tangutendynastie der Xi Xia (Westliche Xia) erbaut. Sein erster Name war Kloster des Tathagatha Kasyapa, Jiaye rulai si. Sein Name wurde unter den Ming geändert, doch die volkstümliche Bezeichnung Dafo si oder*

*Shuifo si war immer noch allgemein bekannt.*

»Die Götzendiener haben viele Klöster und Abteien, die im Stil des Landes gebaut sind; in diesen stehen eine Menge Götzenbilder, teils aus Holz, teils aus Lehm, teils aus Stein, immer aber mit Gold bedeckt. Es sind meisterhafte Werke, von denen einige sehr groß und andere klein sind. Die ersteren sind volle zehn Schritte lang und liegen zurückgelehnt; die kleineren Figuren stehen hinter ihnen und haben das Aussehen von Schülern, die ihre Ehrfurcht bezeugen. Sowohl die großen wie die kleinen werden andächtig verehrt.«
*Marco Polo,*
*Beschreibung der Welt*

Die westliche Begrenzung der Großen Mauer der Ming wurde im Laufe der Jahrhunderte mehrfach verschoben, je nachdem, wie weit die chinesische Rechtssprechung reichte. Hatte sie sich unter den Han noch bis zum Lop Nor erstreckt, so reichte sie unter den Ming nicht über Gansu hinaus. Das am Jiayuguan erhaltene Fort wurde 1372 gebaut, wenig später jedoch verlassen und zu Beginn des 16. Jahrhunderts restauriert. Die Form der Zitadelle ist quadratisch. Zwei Tore, eines im Westen und eines im Osten, ermöglichen den Zugang. Sie ist von zwei zehn Meter hohen Umfassungsmauern gesichert, die aus gestampftem Lehm mit Ziegelbelag

Rechte Seite: *Die Festung Jiayuguan (Jiayn-Paß), 40 km westlich von Jiuquan, wurde 1372 vollendet. Vierhundert Soldaten waren dort ständig kaserniert.*

bestanden. Nicht weit vom Westtor wurde 1809 in eine steinerne Stele eine Inschrift von vier Schriftzeichen geritzt: »Wichtigster Durchgang des Kaiserreiches.« Diese Inschrift war das Gegenstück zu derjenigen, die an der anderen Begrenzung der Großen Mauer, an der Festung am Shanhaiguan zu lesen war.

*In der ersten Hälfte des 11. Jahrhunderts, um 1035, wurde der Raum Dunhuang von den Tanguten erobert, einem den Tibetern verwandten Volksstamm, der kurz zuvor die Dynastie der »Westlichen Xia«, Xi Xia (1032–1227) im Gebiet der heutigen Provinzen Gansu und Ningxia begründet hatte. Die chinesische Dynastie der Song vermochte nichts gegen die Tanguten, deren Herrschaft erst mit den Mongolen ein Ende fand, auszurichten. Der Stifter der Malerei in der Grotte 409 ist auf der rechten Seite in einem Gewand mit chinesischen Orna-*

# DUN-HUANG, OASE UND HEILIG-TUM

*menten und umgeben von mehreren Untertanen abgebildet. Es dürfte sich bei ihm um einen der Xi Xia-Könige handeln.*

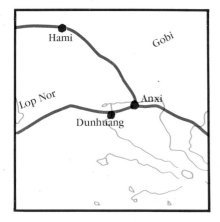

Der westlichste Punkt auf eindeutig chinesischem Territorium ist Dunhuang (oder Shazhou), die am weitesten vorgeschobene der unter den Han gegründeten vier Kommanderien, letzte Etappe vor dem Abenteuer der Wüstenpfade. Hier rasteten der Pilger Faxian sowie Xuanzang und auch Marco Polo, der den Ort Saciu nannte. Ihm war an diesem Ort das rege religiöse Leben aufgefallen, das von den »Götzendienern«, wie die Buddhisten genannt wurden, gesteuert wurde:

»Sie haben unzählige Monasterien und Abteien, und alle sind voller Idole jeglicher Art, denen sie üppige Opfergaben darbringen und erstaunlich viel Ehre und Hochachtung zuteil werden lassen.«

Marco beschreibt auch den Ritus um das Schaf als Opfertier:

»Ihr müßt wissen, daß alle Männer, die Kinder haben, jedes Jahr zu Ehren der Götzen ein Schaf großziehen; zu Jahresbeginn oder am Festtag des Götzen führen diese Väter mitsamt ihren Kindern dieses eigenhändig großgezogene Schaf vor das Götzenbildnis, dem sie Ehrerbietung erweisen und mit ihren Kindern ein Fest bereiten.«

Diese Religiosität war seit langem hier verwurzelt, denn Dunhuang ist eine der Hochburgen buddhistischen Glaubens in China. Davon legen die Höhlen der Tausend Buddhas Zeugnis ab, deren berühmteste die Mogao-Grotten sind, die ungefähr fünfundzwanzig Kilometer südöstlich der heutigen Stadt liegen. Eine andere kleinere Gruppe, die Grotten der Tausend Buddhas des Westens, liegt etwa fünfunddreißig Kilometer westlich von Dunhuang. »Kulthöhlen« dieser Art sind vermutlich indischen Ursprungs, da sich diese »Mode« von Ajanta aus auf der »Route des Buddhismus« über Bamiyan und Turkestan bis in das Innere Chinas verbreitet hatte.

Die Anlage von Mogao besteht aus rund fünfhundert bemalten und teilweise mit Skulpturen (genauer gesagt: modellierten Statuen) versehenen Grotten oder Nischen. Der Überlieferung nach soll die erste Höhle um die Mitte des 4. Jahrhunderts, um das Jahr 366 oder 353, gegraben und ausgestattet worden sein. Nach und nach wurden weitere Höhlen gegraben und ausgeschmückt, größere und kleinere, von der Dynastie der Nördlichen Wei bis hin zur Herrschaft der Yüan, wobei die Wandmalereien einiger Höhlen zu einem späteren Zeitpunkt manchmal einen anderen, sie überdeckenden Dekor bekamen. Sämtliche Höhlen wurden in den steil abfallenden Vorsprung eines mit Sand bedeckten Berges gegraben, in den Mingsha shan, den »Berg des singenden Sandes«. Gegenüber den Grotten, auf der anderen Seite eines Flusses, erhebt sich ein weiterer Berg, der Sanwei shan, der »Berg der drei Gefahren«. Eine Beschreibung dieses Ortes verdanken wir einer in Dunhuang entdeckten Handschrift, die vermutlich im 9. Jahrhundert entstand:

»Südlich der Stadt Shazhou, in einer Entfernung von fünfundzwanzig Li, befinden sich die Mogao-Grotten. Der Weg dorthin zieht sich durch eine Steinwüste entlang eines Berges. Wenn man dort anlangt, sieht man, wie steil alles zum Tal hin abfällt. Im Osten liegen die Berge der drei Gefahren; im Westen die Berge des singenden Sandes. Zwischen beiden fließt, von Süden kommend, ein Fluß, den man Quelle der Höhlen, Dangquan, nennt. Hier gibt es Tempel und Klöster in großer Zahl. Auch riesige Glocken findet man hier. An den beiden äußersten Enden dieses Tales, im Norden und im Süden, gibt es Tempel des Himmlischen Königs, Tian wang, sowie Heiligtümer anderer Gottheiten. Die Wände sind bemalt, zu Ehren des Königs von Tibet und sei-

*Die den Mogao-Grotten gegenüberliegenden Berge der Drei Gefahren, Sanwei shan, die ihren Namen wegen der drei Gipfel-Zacken tragen, werden schon seit der Antike, im Buch der Schriften, Shu Jing, erwähnt. Der unermüdliche Herrscher Yu der Große aus dem dritten vorchristlichen Jahrtausend soll den Lauf des Schwarzen Flusses bis zu den Bergen der Drei Gefahren gesteuert haben.*

nes Gefolges. Auf der ganzen Vorderseite des westlichen Berges hat man von Nord nach Süd, auf einer Spanne von zwei Li, hohe und geräumige Grotten gegraben und behauen. Sie enthalten modellierte oder gemalte buddhistische Bildnisse. Jede einzelne Grotte hat eine beträchtliche Summe Geldes gekostet. Davor wurden mehrstöckige Pavillons errichtet. Da gibt es einen Saal mit einem einhundertsechzig Fuß hohen Buddha. Die kleinen Nischen lassen sich gar nicht zählen. Alle Grotten sind durch Balustraden verbunden, wodurch Pilgerzüge und Besucher Zugang erhalten. Oben auf dem Berg, im Süden, ist eine Stelle, wo einst der Bodhisattva Guanyin erschienen ist. Wenn die Leute aus der Umgegend diese Stätten besuchen, legen sie Hin- und Rückweg zu Fuß zurück. Das ist ein Zeichen der Ehrerbietung.

*Rechte Seite: Eine im Jahre 695 errichtete 33 m hohe Buddha-Statue lehnt gegen den Felsen. Sie wurde von einem neungeschossigen Pavillon, dessen Spitze den oberen Teil des Steilhangs überragt, geschützt.*

Die Berge des Singenden Sandes liegen zehn Li von der Stadt entfernt. Von Ost nach West erstrecken sie sich auf achtzig Li und von Nord nach Süd auf vierzig Li. Die Spitzen erreichen eine Höhe von fünfhundert Fuß. Sie sind völlig von Sand überdeckt. Die Genien dieser Berge sind eigenartig. Die Gipfel sind schroff. In der Mitte befindet sich ein Wasserloch, das der Sand nicht hat zudecken können. Wenn der Sommer seinen Höhepunkt erreicht, dringt Gesang aus dem Sand. Menschen und Pferde, die durch den Sand ziehen, hören den Klang über mehrere Dutzend Li. Nach altem Brauch erklimmen am *duanwu*-Tag (dem fünften Tag des fünften Monats) Knaben und Mädchen aus der Stadt die höchsten Bergspitzen, um sich dann gemeinsam herunterrollen zu lassen, was ein Grollen im Sande erzeugt, das an Donnergrollen gemahnt. Blickt man jedoch frühmorgens zu (diesen Bergen) hinauf, sind sie genau so schroff wie zuvor. Früher nannte man den Singenden Sand »Über-

In der Grotte 17 (eine Art große Nische), die zur weiträumigen Grotte 16 führt, waren mehr als 30 000 Handschriften oder Fragmente sowie mehrere hundert Bilder aus der Zeit zwischen dem 5. und 10. Jahrhundert gestapelt. Vor der zugemauerten Nische stand die Statue des Mönchs Hongpian, der um die Mitte des 9. Jahrhunderts dusengtong (Vorsteher) der buddhistischen Gemeinde von Dunhuang war. Die Grotte 17 war ursprünglich ihm geweiht, bevor sie als Lager für Handschriften und Malereien benutzt wurde.

Rechte Seite: Die modellierten Statuen von Dunhuang sind aus Lehm auf einem Holzgerüst geformt und dann bemalt worden. In den Figurengruppen der Grotte 45 aus dem 8. Jahrhundert die Statue eines Himmelsgottes.

66

natürlichen Sand«, und man brachte ihm auch Opfer dar« (Dunhuang lu, Anmerkungen zu Dunhuang, Ms. Stein 5448).

Die gleiche Handschrift erwähnt auch Stätten in unmittelbarer Nähe von Dunhuang, beispielsweise die Ershi-Quelle östlich der Stadt, die von General Li Guangli, dem General von Ershi, anläßlich seines Feldzugs gegen die Wusun erschlossen worden sein soll. Da ihn der Durst peinigte, stach er mit seinem Schwert dem Berg in die Flanke, und eine Quelle brach auf, deren Fluß sich aber nach der Zahl der Dürstenden richtete: sie strömte reichlich, wenn es viele waren, sparsam, wenn nur wenige Labung suchten.

Weiterhin erwähnt dieses Dokument auch die Festung bei Yang, Yangguan, einen der Vorposten am Zugang zu den Wegen nach Turkestan, dessen Ursprung sie auch erklärt:

»Im Westen der Stadt befindet sich die Befestigungsanlage Yang, ähnlich der ehemaligen Befestigung am Jadetorpaß, Yumenguan. Ihr Name leitet sich vom Präfekten Yang Ming her, der sich dem Haftbefehl, der gegen ihn vorlag, entzog, indem er über diese Sperrmauer flüchtete. In der Folgezeit nannten die Leute sie dann die Sperre Yang. Sie stellte die Verbindung her zur Stadt Shanshan. Doch die gefahrvollen Engpässe sowie das Fehlen von Wasser und Vegetation führten dazu, daß die Leute sich nicht hindurchwagten. Später dann wurde diese Sperrmauer in den Osten der Stadt verlegt.«

Während die Yang-Befestigung die Südroute freigab, eröffnete die andere, der Jadetorpaß, Yumenguan, die Nordroute in Richtung Hami. Dieser Durchlaß Yumenguan war auch Xuanzang bei seiner Abreise nicht recht geheuer:

»Hält man sich in nördlicher Richtung, so trifft man fünfzig Li von hier entfernt auf den Fluß Hulu, dessen Unterlauf breit, dessen Oberlauf aber äußerst eng ist. Überall sind Strudel, und die Fluten wälzen sich mit solch einem Ungestüm, daß man mit einem Boot nicht übersetzen kann. Hinter dem breitesten Abschnitt hat man das Jadetor errichtet, durch das man unweigerlich hindurch muß und das die Grenze zum Westen bildet. Außerhalb dieses Tors, im Nord-Westen« stehen fünf Signaltürme, mit Wachen bestückt, die alles beobachten müssen. Die Türme sind je hundert Li voneinander entfernt. In dem sie trennenden Zwischenstück gibt es weder Wasser noch Weideland. Jenseits dieser fünf Türme erstrecken sich die Mojiayan-Wüste (Gobi) und die Grenzwehren des Königreichs Yiwu (Hami).«

Eine andere, ebenfalls in den Grotten bei Dunhuang entdeckte Handschrift ist eine im 8. Jahrhundert verfaßte und kopierte Monographie von Shazhou, aus der wir erfahren, was von der Großen Mauer auf dem Territorium von Dunhuang noch übrig war:

»Die ehemalige Große Mauer ist acht Fuß (2,40 m) hoch, an der Basis sechs Fuß und am oberen Rand vier Fuß breit. Sie befindet sich in einer Entfernung von dreiundsechzig Li nördlich der Stadt. Im Osten reicht sie bis zum Signalturm Jieting (Staffelleiter), also einhundertachtzig Li weit, wo man in Guazhou auf das Gebiet des Distrikts Changle vordringt. Im Westen reicht sie bis zum Signalturm Quze (Welliger See), also 212 Li weit, wo man direkt in die Wüste eintritt, die zum Gebiet Shicheng (Loulan) führt« (Shazhou dufu tujing, Pelliot, chines. Ms. 2005). Die gleiche Handschrift nennt unter anderem auch die Namen der auf dem Territorium von Dunhuang gelegenen Poststationen. Es waren damals neunzehn an der Zahl, verteilt auf drei Routen in Richtung Guazhou (Anxi) oder Yiwu (Hami).

# Buddha
## und seine Anhänger

»Die Mogao-Grotten gehen auf das zweite Jahr *jianyuan* der Östlichen Jin (366) zurück. Der Mönch Luocun, lauter und demütig in seinem Verhalten, den Geboten entsprechend, durchlief die Wälder und Ebenen, seinen Pilgerstab in der Hand. Während er ging, gelangte er zu diesem Berg und bemerkte plötzlich ein goldenes Licht, dessen Form aus tausend Buddhas gebildet war... Er grub eine Höhle. Anschließend kam Faliang, der Meister von *dhyana,* hier an, von Osten kommend. Und neben der Höhle des Meisters (Luo-) cun schuf auch er einen Bau.«

*Inschrift auf einer im Jahre 698 in Dunhuang errichteten Stele*

Linke Seite: *In die Ostmauer der Grotte 328 wurde eine Nische gegraben und mit sieben unter den Tang modellierten Figuren ausgestattet. In der Mitte: der das Gesetz predigende sitzende Buddha. In seiner Nähe zu beiden Seiten, stehend, seine beiden Schüler Ananda und Kasyapa sowie zwei sitzende und zwei kniende opfernde Bodhisattvas.*

Abbildung unten: *Vor einer mit »tausend Buddhas« dekorierten Wand schmücken drei aus der Dynastie der Sui (581—618) stammende Statuen die Nord-wand der Grotte 427: der das Gesetz predigende Buddha inmitten zweier Bodhisattva. Die größte Statue mißt 4,25 m.*

Folgende Seite: *Die bereits in der Frühzeit der Tang im Jahre 642, vollendete und in der Folge mehrfach restaurierte Höhle 220 schmückt auf der Nordwand ein großes Bhaishajyaguru-Paradies, zu Ehren von Yoashi, dem Meister der Heilmittel. Unterhalb der Darstellung erkennt man ein Orchester und zwei Tänzerinnen, die daran erinnern, daß damals sowohl die Musik aus Kutcha und Zentralasien wie auch die »Barbaren«-Mädchen mit ihren wirbelnden Tänzen sich großer Beliebtheit erfreuten.*

# Die Wandmalereien

»Eines Tages, als er Früchte
holen gegangen war, traf er
auf seinem Wege eine Tigerin, die ihre Jungen säugte;
nachdem die Tigerin gesäugt
hatte, war sie sehr erschöpft
und fand nichts zu fressen;
wahnsinnig vor Hunger,
wollte sie zurückkehren, um
ihre eigenen Jungen zu ver-
schlingen. Als er das sah, war
der Bodhisattva von Mitleid
gerührt; mitfühlend gedachte
er all jener Lebewesen, die
während ihres Verweilens in
der Welt unendliche Qualen
erleiden...«
Liudu jijing *(Übers. nach
Chavannes)*

Oben: *Kuppelförmige Decken
sind recht selten in den Dun-
huang-Grotten. Häufiger sind
sie in denen von Kutcha, z.B. in
Kizil. Höhle 272* (rechts) *besitzt
eine solche Decke, sie ist eine
der ältesten und stammt vermutlich aus dem frühen 5. Jahrhundert.*

Mitte: *Die früheren Leben des
Buddha,* jataka, *sind in den
Wandmalereien der Dunhuang-
Grotten häufig dargestellt.
Hier ein Fragment der
Geschichte von der ausgehun-
gerten Tigerin, die nichts mehr
zu fressen fand und sich schon
anschickte, ihre Jungen zu ver-
schlingen, als der Buddha
— in einem früheren Leben —
ihr aus Mitleid seinen eigenen
Körper zum Fraß anbot.*

Rechts: *Das Deckengemälde des
Hauptsaals der Grotte 285 aus
der Zeit der Westlichen Wei
(535–556) zeigt in der Mitte,
eingerahmt von Apsaras und
verschiedenen Gottheiten, die
Legende der Schöpfer des Menschengeschlechts, Fuxi und
Nügua.*

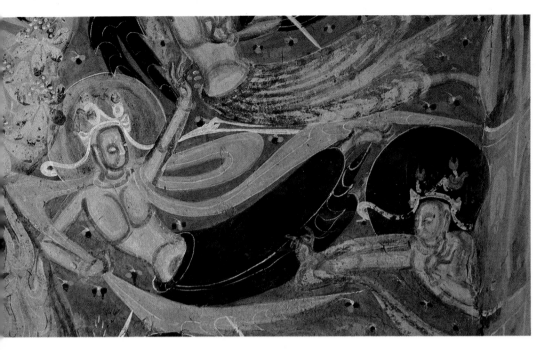

Die geflügelten Gottheiten
oder Apsaras, feitian, *sind ein
Schmuckelement aus den »Westlichen Regionen«, das in den
Malereien der Höhlen von Dunhuang häufig verwendet wurde.
Tang Hou, der unter der Dynastie Yuan (1271–1368) lebte,
schreibt über die Apsara in seinem* Spiegel der Malerei, Hua-
ian: *»Sie fliegen wie die Maulbeerspinner, die Seidenfäden
spucken, wie Frühlingswolken
am Himmel, wie Wasser, das
über den Boden fließt . . .«*
Links: *Apsara aus der Grotte
288 aus der Zeit der Westlichen
Wei (535–556);*
Ganz unten: *Apsara aus der
Grotte 290 aus der Zeit der
Nördlichen Zhou (557–581).*

Folgende Doppelseite: *Der
gesamte untere Teil der Wände
in der Höhle 61 wird von Darstellungen der Stifter eingenommen. Ein echtes Defilée ausschließlich weiblicher Figuren.
Die meisten sind mit ihrem Titel
bezeichnet, der in eine Kartu-
sche geritzt ist. Etliche Bezeichnungen sind mittlerweile ver-
wischt oder unleserlich, doch
kann man noch uighurische
und khotanesische Prinzessinnen identifizieren, die dem
Herrscherhaus Dunhuang
durch Heirat verbunden waren.*

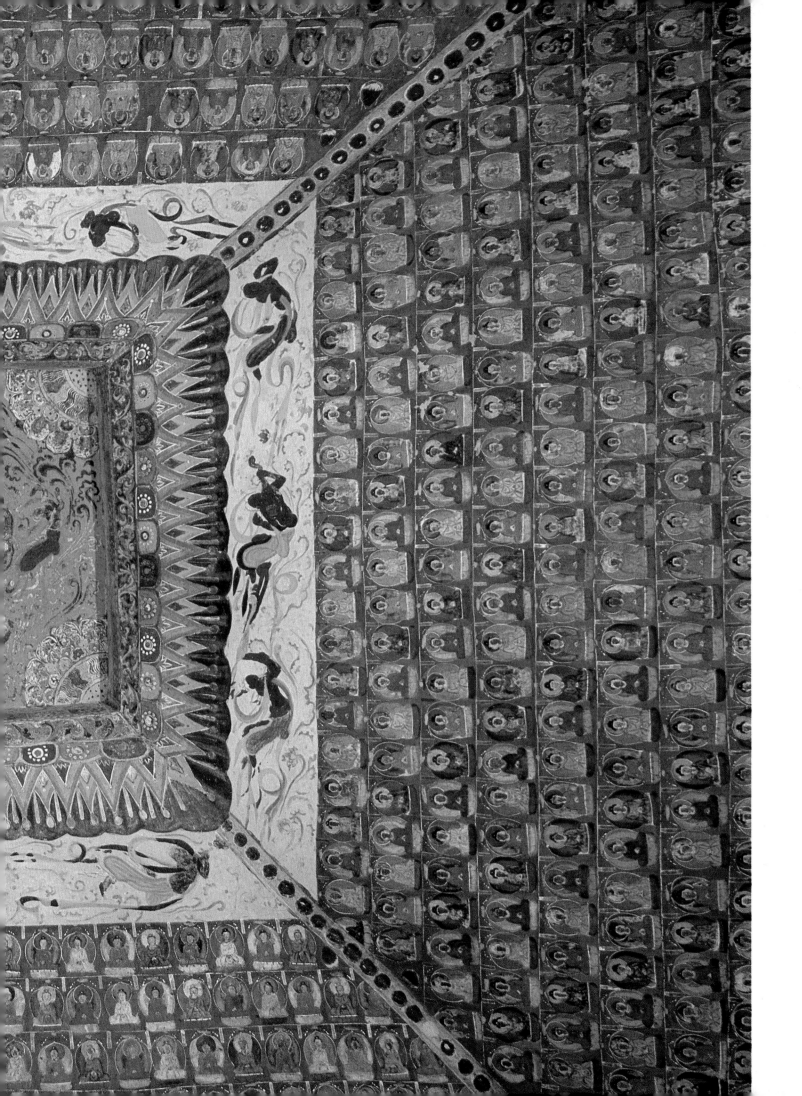

»Er (Li Taipin) fand einen Ort, wo er meißeln konnte, aber es war niemand da, um ihm zu helfen. So warb er zum Preis von tausend Pfund Gold Arbeiter an. Man malte Bildnisse der Bodhisattva Samantabhadra und Manjusri, des Meisters der Heilmittel des Ostens und der reinen Erde des Westens, von Avalokitesvara ›mit den tausend Händen und tausend Augen‹, von den Geburten des Maitreya, des Cintamanicakra und des Amophapasa. Für die tausend Darstellungen der tausend Buddhas der heutigen Periode begann man mit dem Modellieren des Lehms, auf den man dann die Farben auftrug. Die Steinwand wurde großzügig herausgearbeitet, und das goldene Gesicht trat hervor — erhaben.«

*Inschrift auf der im Jahre 776 vor der Höhle des schlafenden Buddha errichteten Stele*

*Die Statue des liegenden, ins Nirwana eintretenden Buddha der Grotte 81 stammt aus der mittleren Periode der Tang-Dynastie. Sie wurde aus Stein und Lehm gefertigt.*

Vorhergehende Doppelseite: *Mehrere Höhlen von Dunhuang wurden fast ausschließlich mit kleinen gemalten Buddhas geschmückt, vor allem zur Zeit der späteren Xi Xia (11.–13. Jh.) oder der Yuan (13.–14. Jahrhundert). Meist war der Anlaß eine Restaurierung oder Farbauffrischung. Das Mittelstück der Deckenbemalung von Grotte 329, die aus der frühen Tang-Zeit stammte und im 10. Jahrhundert restauriert wurde, zeigt (ein Motiv von) Apsaras und wogende(n) Wolken.*

# DIE TAKLA- MAKAN

## 1. DIE ROUTE NACH SÜDEN

Die erste Etappe auf der Südroute der Taklamakan war einst Loulan (oder Shanshan) an den Ufern des Lop Nor-Sees. Name und Lage der Hauptstadt dieses ehemaligen Königreichs haben mehrfach Unstimmigkeiten zwischen Historikern und Archäologen hervorgerufen. Der Pilger Faxian hielt sich dort über einen Monat lang auf und bekannte in seinem Reisebericht, er habe den Eindruck gewonnen, an dieser Stelle tatsächlich China zu verlassen: »Das Königreich Shanshan ist ein Bergland und sehr wenig ausgewogen. Der Boden dort ist karg und unfruchtbar. Die Sitten der Bewohner, wie auch ihre Kleidung, sind grob und ähneln denen auf Han-Gebiet: der einzige Unterschied besteht im Gebrauch von Filz und Stoffen. Von diesem Punkt an ähneln alle die Königreiche, die man bei der Reise gen Westen antrifft, diesem hier: jedes Königreich hat allerdings seine eigene barbarische Sprache.«

Die südwestlich des Lop Nor-Sees an der heutigen Straße gelegene Oase Miran war sehr wahrscheinlich eingegliedert in das Königreich Shanshan; doch die Berichte der Reisenden liefern uns keine näheren Auskünfte darüber.

Die weiter westlich gelegene Stadt Cherchen wurde schon längst als der ehemalige Stadtstaat Qiemo identifiziert, von dem im *Han shu,* der Geschichte der Han, die Rede ist. Weintrauben und allerlei Früchte wurden dort geerntet. Der Pilger Song Yun erklärt ferner: »In dieser Gegend fällt kein Regen; das Wasser wird in Kanäle geleitet, damit überhaupt Getreide wächst; (die Bewohner) verstehen nicht, mit Ochsen und Pflug umzugehen, um ihre Felder zu bestellen. Doch ein Buddha und ein Bodhisattva sind in dieser Stadt dargestellt, die kein barbarisches Aussehen haben.«

Die heutige Route führt zum Ort Endere, läßt aber Niya abseits, das dem ehemaligen Stadtstaat Jingjue entspricht, und erreicht schließlich Keriya (Yutian). Vielleicht ist dies die Stadt, die Marco Polo »Pem« nennt, was dem chinesischen Bima entspricht, eine Stadt, die schon die buddhistischen Pilger Songyan und Xuanzang wegen einer wundertätigen Statue rühmten:

»In dieser Stadt sieht man eine Statue des Buddha in aufrechter Haltung; sie ist dreißig Fuß hoch und zeichnet sich durch besondere Schönheit der Form wie auch eine ernste und strenge Gebarung aus. Für jene, die den Buddha anrufen, vollbringt sie mancherlei Wunder. Wenn ein Mann krank ist, wird je nach der Stelle, die ihn schmerzt, ein goldenes Blatt auf die Statue geklebt, und unverzüglich ist der Mann geheilt. Die Bitten und Wünsche, die an ihn gerichtet werden, sind fast immer von Erfolg gekrönt.«

Der Überlieferung nach soll diese zu Lebzeiten des Buddha geschaffene Statue durch die Lüfte aus Indien gekommen sein.

Das etwas weiter östlich gelegene Khotan (Hetian, früher Yutian) war lange ein bedeutendes Königreich. Im 10. Jahrhundert sprach man von seinem Herrscher, der mit einer Tochter des Gouverneurs von Dunhuang verheiratet war, als von einem Kaiser. Faxian wie auch Xuanzang widmen Khotan eine Erwähnung in ihrem Reisebericht. Der Ursprung der Stadt verliert sich in der buddhistischen Mythologie, da ihre Gründung angeblich der Gottheit *Vaisravana* (Bishamen) zu verdanken ist. Die Überlieferung der tibetischen Texte weicht von dem, was Xuanzang berichtet, ab, doch stimmen beide darin überein, daß sich in Khotan all jene zusammenfanden, die aus Indien und China ausgewiesen worden waren und daraufhin die Stadt gründeten.

»Es gilt als wohlbekannte Tatsache, daß diese Wüste vielen bösen Geistern zum Aufenthalt dient, die den Reisenden allerlei sonderbares Blendwerk zu ihrem Verderben vorführen. Wenn am Tage Leute auf dem Weg zurückbleiben oder vom Schlaf überfallen oder aus anderen Gründen aufgehalten werden, bis die Karawane über einen Hügel gezogen und nicht mehr länger sichtbar ist, so hören sie sich ganz unerwartet bei ihrem Namen rufen, und zwar mit einer Stimme, die ihnen bekannt erscheint. Da sie nun glauben, der Ruf komme von ihren Gefährten, werden sie vom rechten Weg abgelenkt und müssen, da sie die richtige Richtung nicht finden, zurückbleiben und elendiglich umkommen... Deswegen halten die Reisenden es auch für notwendig, bevor sie sich der Nachtruhe überlassen, zur Vorsicht weiter vorn ein Signal aufzustellen, welches ihnen den Weg zeigt, den sie am anderen Tag weiterziehen wollen...

Das sind die außerordentlichen Gefahren, denen man unweigerlich begegnet, wenn man durch diese Wüste zieht.«
*Marco Polo, Beschreibung der Welt*

Von Xuanzang erfahren wir, wie der erste König seine Nachfolge regelte: »Er war bereits neunzig Jahre alt und hatte das Greisenalter erreicht, ohne einen Nachkommen zu haben. In der Furcht, seine Familie könne erlöschen, ging er in den Tempel des Gottes Bishamen (Vaisravana), den er inbrünstig anflehte, ihm doch einen Erben zu schenken. Plötzlich tat sich der Kopf der Statue oberhalb der Stirn auf, und ein Knabe kam hervor. Den nahm er bei der Hand und kehrte in seinen Palast zurück...«

Seit eh und je war Khotan berühmt für seine Jade: »Es gibt dort einen Fluß, der Jade enthält; die Leute des Landes beobachten des Nachts die Stellen, wo der Widerschein des Mondes besonders stark ist, und dort finden sie unweigerlich schöne Jade.« (*Tang shu,* Geschichte der Tang, 221). Bereits unter den Han wurde die Jadeerzeugung erwähnt, und die Anziehungskraft der Jade aus Khotan ließ in China niemals nach. Der Jesuit Benedict de Goëz vermeldet Anfang des 17. Jahrhunderts, daß mit der chinesischen Hauptstadt ein reger Handel getrieben werde: »Sie bringen diesen Marmor dem König, denn der König von Cathay vergilt es ihnen reichlich mit Silber, in der Meinung, dies entspräche seiner königlichen Würde... Sie stellen allerlei unterschiedliche Möbel aus diesem Marmor her, sowie Vasen, Zier für Gewänder und Gürtel, in die sie sehr geschickt Blüten und Blätter ritzen, die deren Schönheit und Pracht gewiß um ein beträchtliches erhöhen.«

Noch weiter westlich liegen die Oasen Karghalik (Yecheng) und Yarkand (Suoju). Von Karghalik aus in Richtung Süden führt eine Abzweigung durch die Kunlun-Berge und das Karakorum-Massiv nach Ladakh.

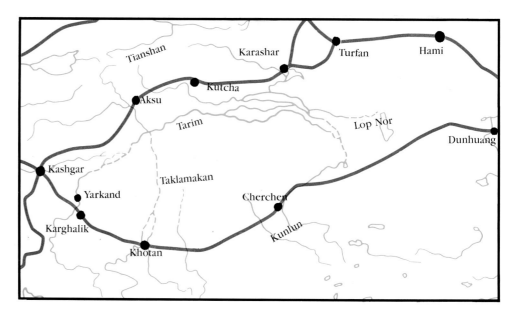

Das weiter nördlich gelegene Yarkand wird von Marco Polo erwähnt, der dort etwas Seltsames bemerkt hatte, so seltsam, daß es um so unglaubwürdiger wird:

»Die Einwohner sind in Künsten und Handwerken erfahren. Sie haben häufig geschwollene Beine und Kröpfe, eine Krankheit, die auf das schlechte Trinkwasser zurückzuführen ist. Weiter ist nichts Bemerkenswertes zu berichten.«

Von Yarkand aus konnte man in westlicher Richtung Tashkurgan erreichen, was Faxian anscheinend auch tat, oder in nordwestlicher Richtung Kashgar, den Punkt, wo auch die Nordumgehung der Taklamakan mündete.

»Ich sage euch, diese Wüste ist nach allem, was man sagt, so lang, daß man in einem Jahr nicht ankommen würde; geht man dort, wo sie weniger breit ist, quer hindurch, quält man sich einen Monat lang. Ein sinnloses Unterfangen wäre es, wollte man sie der Länge nach durchwandern, denn für eine so lange Zeit könnte man nicht genug Lebensmittel mit sich führen. Durchmißt man sie in der Breite, so findet man, wie es heißt, einen Monat lang kein Dach. Sie besteht nur aus Bergen und sandigen Flächen und Tälern, und zu essen findet man nichts. Aber nach Verlauf eines jeden Tagemarsches findet man im Winter süßes Wasser zu trinken, zwar nicht genügend für eine große Zahl, aber doch ausreichend für fünfzig bis hundert Personen mit ihren Lasttieren. An drei oder vier von diesen Halteplätzen ist das Wasser bitter, salzig und schädlich, an den anderen ist es gut, aber keineswegs im Überfluß vorhanden. Es sind etwa achtundzwanzig solcher Wasserstellen. Auf diesem Weg trifft man keine vierfüßigen Tiere und keinen Vogel, weil kein Futter für sie zu finden ist.«

*Marco Polo, Beschreibung der Welt*

Rechts und folgende Doppelseite: *Die von allen Reisenden gefürchtete Wüste Taklamakan. In der Sprache der Uighuren bedeutet dieser Name »Wüste des unwiderruflichen Todes«.*

# Loblied auf das Kamel

»Im Nord-Westen von Qiemo (Cherchen) gibt es auf mehreren hundert *Li* den fließenden Sand. Im Sommer sind die warmen Winde eine Pein für die Reisenden. Kurz bevor sich ein solcher Wind erhebt, merken das als einzige die alten Kamele, die sofort zu brummen beginnen, sich zusammenscharen und ihr Maul in den Sand vergraben. Die Menschen verstehen das augenblicklich als Warnung und umhüllen sich Nase und Mund mit Decken. Der Wind kommt ganz plötzlich und dauert nur kurze Zeit, doch wenn man sich nicht schützt, muß man den Tod befürchten.«
*Geschichte der Nördlichen Dynastien,* Bei shị *97*

»Das Kamel ist ein ungewöhnliches Haustier; es trägt einen Fleischsattel auf dem Rücken; im fließenden Sand bewegt es sich leichtfüßig vorwärts; seine Qualitäten beweist es an gefährlichen Stellen; es besitzt ein geheimes Wissen um die Quellen; wirklich feinsinnig sind seine Kenntnisse.«
*Guo Pu (3. Jh.) Lob des Kamels,* Luotuo zan

# Miran, eine Stadt mit vielen Gesichtern

»Die halb verschütteten Räume und Gemäuer, die vom 8. bis zum 9. Jahrhundert die tibetische Garnison beherbergt hatten, waren in Form und Konstruktion recht grobschlächtig, doch bargen sie an so manchen Stellen die großartigsten ›Abfallhaufen‹, die ich je abgetragen habe.«
*Übers. aus: Aurel Stein, On Ancient Central Asian Tracks*

*Von den Früheren Han bis ins 4. Jahrhundert war das 85 km nordöstlich von Charklik gelegene Miran eine Zitadelle des Königreichs Shanshan. Der aufgelassene Platz wurde zwischen dem 7. und dem 9. Jahrhundert von den Tibetern erneut besetzt, versank wieder in Vergessenheit, bis zu Beginn des 20. Jahrhunderts der Archäologe Aurel Stein Manuskripte und Malereien freilegte. Die Malereien zeigen zahlreiche fremde Einflüsse, manches ist gräko-römisch, anderes mesopotamisch oder gar indisch.*

90

# Niya, ehemalige Hauptstadt des Jingjue-Reiches

*Das ungefähr 120 km nördlich von Minfeng gelegene Niya, von dem nur noch Ruinen zu sehen sind, war einst unter den Han als Königreich Jingjue bekannt. Die Stadt beherbergte zu jener Zeit 480 Familien, 3360 Bewohner, von denen 500 zu den Waffen gerufen werden konnten.*

*Die Ruinen der Wohnbauten zeigen noch heute eine recht ausgeklügelte Struktur: aus Holz und Lehm gebaut und mit Schilfhälmchen und Tamarisken verziert* (unten).

Auf der rechten Seite unten:
*In den Gräbern der Taklamakan-Oasen fanden die Archäologen neben Skelettresten auch mehrere mumifizierte Körper. Der Körper der Frau* (Mitte) *war in rauhe Leinwand gehüllt. Sie trug einen Filzhut, zwei Reiherfedern schmückten ihr Haar, und an den Füßen trug sie Schuhe aus Kamelleder.*

»Hier waren die Wände und alle zurückgelassenen Gegenstände völlig von der Erosion zerfressen, obgleich die massiven, wenn auch ausgebleichten und zerplatzten Trägersäulen noch aufrecht standen und die Position des Gerüsts markierten. Doch als ich den Boden dessen, was vormals ein Schuppen oder ein Stall gewesen sein mochte, inspizierte, erkannte ich schnell, daß er aus mehreren Schichten aufgehäuften

Unrats bestand. Gewiß, die frühere Erfahrung war Grund genug, in dieser abstoßenden Grube zu graben, selbst wenn die starken Gerüche, die ihr Inhalt noch nach siebzehn Jahrhunderten ausströmte, durch die frische Ostbrise doppelt peinigend waren. Diese wirbelte einen feinen Staub, tote Mikroben etc. auf, die einem in Augen, Hals und Nase gerieten.«
*Übers. aus: Aurel Stein, On Ancient Asian Tracks*

# Khotan, die Oasenstadt

*Stärker als andere Oasen der Taklamakan ist Khotan von Uighuren bevölkert: 95%. Das verbreiteste Transportmittel* intra muros *ist der Esel; ein simpler Karrenwagen dient hier häufig als Taxi.*

Seite 96/97: *Die Seidenverarbeitung ist noch immer eine weitverbreitete Tätigkeit in Yarkand. Im Schatten der Maulbeerbäume verspinnen die Frauen die Seide oder nähen Hauben.*

# Die Verbreitung
## des Islam

»Auf die Frage, zu welchem
Gesetz er sich bekenne, zu
dem von Moses, David oder
Mahomet, und zu welcher
Seite er sich wende, um zu
Gott zu beten, erwiderte
Bento (Benedikt), er
bekenne sich zum Gesetze
Jesu (den sie *Isai* nannten)
und wende sich beim Beten
nach allen Seiten, da es ja
sicher sei, daß Gott überall
ist. Diese letzte Antwort ver-
ursachte einen großen Streit
unter ihnen, denn sie wandten sich gen Westen, um
ihrem Gebieter zu huldigen.
Schließlich kamen sie überein, daß unser Gesetz auch
gut scheinen mochte.«
*Übers. aus: M. Ricci, N. Trigault,
Histoire de l'expedition chré-
tienne au royaume de la Chine.*

*Die Bewohner von Khotan, wo
die buddhistische Kultur hoch
entwickelt war, gingen gegen
Ende des 10. Jahrhunderts zum
Islam über. Seitdem ist der mos-
lemische Kult dort weit verbreitet, unabhängig vom politischen
Regime. Zum Freitagnachmit-
tag-Gebet in der Großen
Moschee finden sich zahlreiche
Gläubige ein.*

# Der größte Basar
auf dem Weg
nach Süden

»In diesem Land macht man Wein aus Trauben. Außerdem gibt es einen violetten Wein und einen anderen blauer Färbung. Ich weiß nicht, woraus sie hergestellt werden; aber ihr Geschmack ist recht angenehm. Die Bewohner essen Reis, mit Honig verfeinert, und Hirse, in Rahm gekocht. Ihre Kleider sind aus Leinwand und Seide gefertigt. Sie haben Gärten, in denen sie blühende Bäume züchten. Sie huldigen den Geistern, vor allem aber dem Buddha.«

*Übers. aus: Abel Rémusat, Histoire de la Ville Khotan*

*Als ihr Reich in der Mongolei im 10. Jahrhundert zerfiel, hatten sich die Uighuren in die meisten Oasen des heutigen Chinesisch-Turkestan zerstreut. Ursprünglich Steppennomaden, sind sie im Laufe der Zeit seßhaft geworden.*

»Es ist Brauch bei diesem Volk, daß die Frauen Unterhosen und kurze Kleider tragen, die mit einem Gürtel zusammengehalten werden. Sie reiten auf Pferden und auf Kamelen, genau wie die Männer. Die Toten werden verbrannt, dann sammelt man die Knochen ein, vergräbt sie und errichtet auf dem Grab eine Kapelle zu Ehren Buddhas. Wer Trauer trägt, rasiert sich das Haar und zerkratzt sich das Gesicht zum Zeichen der Trauer. Sobald das Haar fünf Daumen lang nachgewachsen ist, nehmen sie das gewohnte Leben wieder auf.«

*Übers. aus: Abel Rémusat, Histoire de la Ville Khotan*

# Die drei Jadeflüsse

*Im Osten der Stadt Yutian (Khotan) befindet sich der Fluß der Weißen Jade, Baiyu he; im Westen der Fluß der Grünen Jade, Lüyu he. Ebenfalls im Westen der Stadt gibt es einen dritten Fluß, genannt Fluß der Schwarzen Jade, Heiyu he. Diese drei Flüsse haben ihre Quelle in den Kunlun-Bergen. Bei Mond-*

*schein finden die Jadesucher die besten Stücke in diesen Flüssen. Die Bewohner der benachbarten Länder pflegen die Jade dieser Flüsse zu stehlen.*
Ming shi, *Geschichte der Ming*

102

# TAKLA-MAKAN
## 2. DIE NORDROUTE

Schlägt man in Dunhuang und am Yumenguan die Nordroute ein, so ist die erste Etappe Hami (Yiwu unter den Tang, Camul für Marco Polo). Doch bevor man es erreichte, war eine Wüste zu durchqueren, die alle Reisenden fürchteten. Xuanzang zog, nachdem er die Befestigung bei Yumen umgangen hatte, die Große Mauer entlang bis zum vierten Signalturm und kämpfte sich im Nord-Westen durch diese Wüste, die man damals *Sha he,* Sand-Fluß, oder Weiße-Drachen-Hügel nannte. Über Yiwu erfahren wir nichts von Xuanzang, doch ein im Jahre 886 erstellter handgeschriebener Text, der in den Höhlen von Dunhuang gefunden wurde, gibt uns Aufschlüsse über gewisse Gepflogenheiten, die man der von Ackerbau und Handel lebenden Bevölkerung zusprach:

»Sommer wie Winter essen sie flache Fladen. Sie besitzen keinerlei Küchengerät. Haben weder Trink- noch Eßschalen, weder Löffel noch Stäbchen. Wenn es sie dürstet, hocken sie sich einfach nieder und trinken vom Boden« (*Manuskript Stein 367*).

Wesentlich später vermeldet auch Marco Polo eine ihm merkwürdig erscheinende Gepflogenheit der Bewohner von Camul:

»Wenn ein Fremder, der hier durchzieht, bei einem von ihnen Quartier nehmen will, so ist der Mann hocherfreut, empfängt ihn überaus zuvorkommend und gibt sich alle erdenkliche Mühe, ihm gefällig zu sein. Seiner Frau, seinen Töchtern, seinen Schwestern und allen anderen weiblichen Anverwandten befiehlt er, alles zu tun, was der Fremde wünscht, ja besser noch als für ihn selbst; er verläßt sogar sein Haus, überläßt dem Fremden seine Frau und geht seinen Geschäften nach; zwei oder drei Tage hält er sich fern, ent-

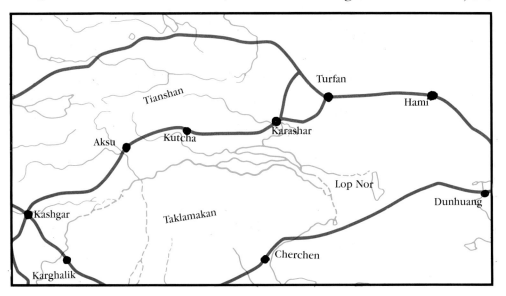

*Die Uighuren, ein Nomadenstamm, den die Chinesen zur Zeit der Tang mit den Xiongnu verschwägert glaubten, waren Untertanen der Türken (Tujue), bis sie im 8. Jahrhundert in der heutigen Mongolei ihr eigenes Reich gründeten. Im 10. Jahrhundert hatte ein Teil ihrer Stämme sich in der Gegend um Ganzhou (Zhangye) in Gansu sowie um Xizhou (Turfan) in Xinjiang zusammengeschlossen.*

weder bleibt er auf seinem Landgut oder anderswo, wie es ihm beliebt. Von dort aus sendet er dem Gast alles, was dieser begehrt, doch gegen Entgelt, und solange der Fremde in seinem Haus weilt, kehrt er nicht dorthin zurück.«

Von Hami aus in westlicher Richtung mündet die Route in das Turfaner Becken (auch Turpan genannt, der türkischen Aussprache folgend). Diese weite Senke liegt großteils unter dem Meeresspiegel. Der großen Trockenheit und der Unerbittlichkeit der Temperaturen begegnet man hier durch ein Bewässerungssystem, das man bis in den Iran findet und über dessen Ursprung Uneinigkeit herrscht: *Karez* nennt man sie, diese unterirdischen Kanäle, die mehrere Brunnen miteinander verbinden.

# Gaochang

*Das wenige Kilometer östlich von Turfan zu Füßen der Flammenden Berge, Huoyanshan — gelegene Gaochang war Sitz einer unter den Tang im Jahre 640 gegründeten Präfektur namens Xizhou und Hauptstadt der Uighuren vom 9. Jahrhundert an.*

Rechts: *Die quadratisch angelegte, mittlerweile zerstörte Stadt Gaochang hatte eine Gesamtfläche von etwa 1,5 km². Von den zerstörten Ziegelbauten wurden einige restauriert.*

Die westlich vom heutigen Turfan auf einer Landzunge zwischen zwei Flußarmen gelegene ehemalige Stadt Jiaohe (Yarkhoto), war zur Zeit der Han Zentrum des Stadtstaates Jushi. Nachdem die Chinesen sie erobert hatten, gründeten sie etwas weiter östlich in Gaochang (Khocho) eine Militärkolonie, die bis zum 14. Jahrhundert sowohl unter chinesischer Oberhoheit als auch während der Unabhängigkeit alternierend mit Jiaohe Sitz der Gebietsverwaltung war. Die Oasen von Turfan waren wichtige Fixpunkte auf der Seidenstraße, zumal sich von dort aus gen Norden eine Route erreichen ließ, auf der man über Beiting (Beshbalik, heute Jimusa) die Nordumgehung des Tianshan benutzen konnte. Xuanzang wurde im Jahre 630 in Gaochang mit großen Ehren empfangen. Wie die Grotten von Bezeklik oder Toyuk beweisen, stand zu jener Zeit der Buddhismus noch hoch im Kurs, doch als sich im 9. Jahrhundert die Uighuren in dieser Gegend niederließen, wurde er vom Manichäismus abgelöst.

Westlich der Turfaner Senke führt vom Ortsausgang Toksun an die Route nach Yanqi (Karashar) an die Ufern des Baghrash-Sees. Der Überlieferung nach soll hier zur Zeit der Tang Wein und Hirse angebaut und mit Fisch und Salz gehandelt worden sein. Die Bewohner trugen kurz geschnittenes Haar und Gewänder aus Wolle. Die noch weiter westlich gelegene Oase Kutcha war wieder ein Kommunikationszentrum. Gen Westen führt der Weg nach Kashgar; gen Norden erreicht man, quer durch den Tianshan, die Dschungarei; und gen Süd-Westen gelangt man, am Tarim-Becken und Khotan-Fluß entlang, zur Stadt Khotan. Unter den Tang hatten die Städte Kutcha, Karashar, Kashgar und Khotan Weisung, von den Händlern aus den Westlanden Abgaben zu erheben.

Xuanzang staunte in Kutcha über die hervorragenden Pferde, deren Ursprung angeblich auf eine Kreuzung von Stuten und Drachen zurückging. Geradezu verblüfft war Xuanzang, als er rund hundert Klöster und mehr als fünftausend buddhistische Priester zählte, die sich alle zum »Kleinen Fahrzeug« bekannten. Auch hob er die Brillanz der Musiker hervor. Es gab zahlreiche Buddhastatuen, die einmal pro Jahr durch die Straßen getragen wurden. Zeugnisse dieser intensiven buddhistischen Aktivität wurden in der Nähe von Kutcha, in Kumtura, Subashi, Kizil und Duldur-Aqur gefunden. Weiter in Richtung Westen erreicht die Straße Aksu und dann Kashgar (Shule), wo sie auf die Südumgehung der Taklamakan trifft. In Kashgar herrschten, wie Xuanzang notierte, Diebstahl und Betrug. Und wurde ein Kind geboren, so preßte man ihm — wie er sich ausdrückte — den Kopf zusammen, damit er flacher wurde. Außerdem tätowierten sich die Leute und hatten grüne Augen. Marco Polo bewahrte sich nur eine flüchtige Erinnerung an Kashgar. Es war in erster Linie eine Handelsmetropole und Treffpunkt der Kaufleute. Abgesehen von den nach Osten führenden Routen gingen von Kashgar noch drei weitere Wege aus: der eine führte in Richtung Norden nach Kirgisien und zum Issik-köl-See; der andere in westlicher Richtung nach Tadjikistan und Samarkand; der dritte schließlich gen Süd-Westen über Tashkurgan zum Kleinen Pamir und Balkh oder nach Kaschmir und Indien.

# Jiaohe

*Tang shu*, die Geschichte der Tang, liefert uns eine globale Beschreibung des Königreichs Gaochang: »Es besteht aus insgesamt einundzwanzig Städten: der König hat seinen Sitz in der Stadt Jiaohe, die nichts anderes ist als der ehemalige Königshof (des Landes) Jushi zur Zeit der Han... Das Königreich verfügt über zweitausend Elitesoldaten; der Boden dort ist fruchtbar; Weizen und Getreide liefern zwei Ernten pro Jahr; es findet sich dort eine Pflanze namens *baidie* (vermutlich Baumwolle); man sammelt ihre Blüte, aus der man Leinwand weben kann. Es ist Brauch (bei den Bewohnern), die Haare zu einem Knoten zu wickeln, der am Hinterkopf baumelt.«

*Nördlich der Stadt finden sich Überreste eines buddhistischen Klosters: hier die Reste eines Stupa.*

*Etwas westlich von Turfan erheben sich auf einer Insel, gleichsam von der Natur befestigt, die Ruinen der Stadt Jiaohe, auch Yarkhoto oder Idikut-Shari genannt* (Abbildung links).

# Die Turfan-Senke

Wang Yande, ein im Jahre 982 zu den Uighuren gesandter Chinese, hielt seine Beobachtungen aus Turfan fest: »In diesem Lande fällt weder Regen noch Schnee, und die Hitze ist übermäßig. Alljährlich, in der heißesten Jahreszeit, ziehen die Bewohner sich in unterirdische Behausungen zurück. Die Häuser sind mit einer weißen Erde überzogen... Es gibt einen Fluß, der aus der Bergschlucht namens Jinling kommt; seine Wasser wurden so geleitet, daß sie die Hauptstadt des Königreichs umfluten, die Felder und Gärten bewässern und die Flügel der Windmühlen in Gang halten.«

Gaochang xingji, *Bericht von einer Reise nach Gaochang*

*Das Klima in Turfan ist außergewöhnlich trocken: pro Jahr werden nur 16 mm Regen gemessen. Die Häuser sind aus rohen, in der Sonne getrockneten Ziegeln erbaut.*

Die Durchschnittstemperatur von 40° C wird im Sommer noch überschritten. Schattige Vorgärten, in denen wilder Wein wächst, verschaffen etwas Kühlung; sie dienen zuweilen sogar als Schlafstätte.

Das gebräuchlichste Transportmittel in der Oase Turfan ist der Pferdewagen oder der Eselskarren.

Folgende Seite: *Die Tausend-Buddha-Höhlen von Bezeklik, ein Name, der im Türkischen »geschmücktes Haus« bedeutet, wurden in der Murtuk-Schlucht östlich von Turfan, zu Füßen der »Flammenden Berge«, in der Zeit zwischen der Sui- und der Yuan-Dynastie gegraben und ausgestattet. Auf den Wandmalereien, von denen etliche durch die Archäologen A. Grünwedel und A. von Le Coq nach Berlin geschafft wurden, sind Spuren buddhistischen, aber auch manichäischen Glaubensguts zu erkennen.*

111

# Die Höhlen der 1000 Buddhas von Bezeklik

Die Wandmalereien der Höhlen von Bezeklik wurden mehrmals grob beschädigt. Häufig war der religiöse Fanatismus von Moslems die Ursache. Aus der Höhle 39 ist ein Fragment einer unter den Yuan ausgeführten Wandmalerei übriggeblieben, auf der höchstwahrscheinlich eine Kondolenz-Zeremonie dargestellt war. Abgesandte ferner Länder sind noch zu erkennen. Die Anwesenheit von Personen unterschiedlicher Rassen, die alle anders gekleidet sind, ist ein Beweis für den regen Austausch von Beziehungen entlang der Seidenstraße. Ein ausgeklügelter Kodex regelte den Status ausländischer Delegationen in China. Unter den Tang gab es bei Hofe ein eigens für sie eingerichtetes Verwaltungsbüro. Die Einstufung der Gesandten richtete sich nach dem Ansehen ihrer Herkunftsländer. Sie erhielten den Rang kaiserlicher Beamter, doch ihr Dienstgrad entsprach der Bedeutung des von ihnen repräsentierten Landes. Für die Audienzen bei Hofe bekamen sie ihren Platz zugewiesen. Die Geschenke, die sie dem Kaiser darbrachten, wurden sorgfältig geprüft und bewertet, bevor sie, je nach Wert, an die kaiserlichen Behörden oder an die Präfekturen ausgeteilt wurden.

# Nanjiang, die Eisenbahnlinie zur »Südgrenze«

*Der Südumgehung der Wüste Taklamakan galt ursprünglich die Vorliebe der nach Westen reisenden Chinesen, bevor diese sich für die Nordumgehung entschieden. Zwischen Turfan und Karashar gab es zwei Möglichkeiten: eine in der Ebene, aber durch Ödland verlaufende Route, oder aber der Weg durchs Tianshan-Gebirge, wo leichter Wasser und Nahrung zu finden waren.*

Rechte Seite: *Zwischen Turfan und Korla, südlich von Karashar, wurde die Route durchs Tianshan vor einigen Jahren durch eine Eisenbahnstrecke ergänzt: es ist dies die Bahn der »Südgrenze«, Nanjiang. Die Strecke ist 470 km lang, und an der höchsten Stelle, auf 2900 m, wurde ein 6 km langer Tunnel gebohrt, der in das grüne Wulasitai-Tal mündet, bevor es weiter durch die Taklamakan-Wüste bis Kutcha geht.*

# Die Oase Kutcha

»Das Königreich Quzhi (Kutcha) mißt ungefähr tausend *Li* von Ost nach West und rund sechshundert *Li* von Süd nach Nord. Der Umfang der Hauptstadt beträgt zwischen siebzehn und achtzehn *Li.* Der Boden eignet sich für rote Hirse und Weizen. Man zieht außerdem Reis von der Sorte *gengtao,* Weintrauben, Granatäpfel und Unmengen von Birnen, Pflaumen, Pfirsichen und Mandeln. Man findet dort Gold-, Kupfer-, Eisen-, Blei- und Zinnbergwerke. Das Klima ist mild; die Sitten sind lauter und anständig; die Schrift wurde von Indien entlehnt, allerdings leicht abgewandelt. Die Musiker dieses Landes stellen diejenigen der anderen Königreiche durch ihr Talent auf der Flöte und der Gitarre in den Schatten. Die Bewohner kleiden sich in Stoffe aus brochierter Seide oder grober Wolle. Sie schneiden ihr Haar glatt ab und tragen Hauben. Im Handel verwenden sie Gold-, Silber- und kleine Kupfermünzen. Der jetzige König entstammt der Quzhi-Rasse. Er ist nicht sonderlich umsichtig und fähig und läßt sich von

Rechte Seite: *Die ungefähr auf der halben Strecke zwischen Turfan und Kashgar gelegene Oase Kutcha war Hauptstadt eines bedeutenden Königreiches, das seit den Han unter dem Namen Quci bekannt war. Es hieß, die Stadt werde von drei Umfriedungsmauern geschützt und ihre Häuser seien prachtvoll. Heutzutage zählt die Stadt rund 300 000 Einwohner, zumeist Uighuren. Der sonntags geöffnete Bazar wird von der Bevölkerung stark frequentiert.*

mächtigen Ministern beherrschen. Wird ein Kind geboren, so flacht man ihm für gewöhnlich den Kopf ab, indem man ihn mit einem Brettchen zusammenpreßt.«           *Xuanzang,* Xiyu ji, *nach der Übers. von S. Julien*

Folgende Doppelseite: *Kutcha war, mehr als andere »Regionen des Westens«, für seine Musik berühmt. Vor allem nach der im Jahre 384 durch General Lü Guang erfolgten chinesischen Eroberung dieses Königreiches, erfreute man sich am chinesischen Hof* *an der Musik aus Kutcha. Musik hat hier noch immer Tradition, auch wenn sie vermutlich kaum mehr Ähnlichkeit mit der damaligen hat. Hier sehen wir eine Sängerin, die sich auf dem Dotar begleitet.*

# Subashi:
# Die Klöster von
# Zhaohuli

Xuanzang, der sich wegen des harten Winters länger als zwei Monate im Raume Kutcha aufhalten mußte, besichtigte auch Subashi, das er »Zhaohuli-Klöster« nannte: »Vierzig *Li* nördlich der Stadt liegen zu Füßen zweier nur durch einen Fluß getrennter Berge zwei Klöster, die den gleichen Namen Zhaohuli tragen und die man durch ihre Lage im Osten und im Westen unterscheidet.« Reich verzierte Buddha-Statuen waren dort errichtet worden. Die Mönche und die Gläubigen waren, wie Xuanzang berichtet, lauter und sittenstreng und legten große Frömmigkeit an den Tag.

*Die Ruinen der alten Stadt Subashi an den Ufern des Kutcha-Flusses wurden von Paul Pelliot gleich bei seinem Eintreffen im Jahre 1907 als Standort der einst von Xuanzang beschriebenen Loriot-Klöster identifiziert. Die Ôtani-Mission von 1903 hatte dort nur ein paar Sandalen entdeckt. Im nahegelegenen Gebirge sind noch zahlreiche Grotten erhalten. Sie sind tunnelförmig, mit Nischen, die den Mönchen als Ort der Meditation dienten.*

# Die Salzwasserschluchten von Yanshui

*Die ehemalige Route in Richtung Kashgar überquerte etwa zehn Kilometer nordwestlich von Kutcha die Salzwasserschluchten. Sie verlief durch das fast ganzjährig ausgetrocknete und von Salz bedeckte Flußbett.*

*Das Salz wird immer erwähnt in den Reiseberichten, sowohl von Marco Polo als auch von Wang Yande im 10. Jahrhundert oder von Chang Chun im 13. Jahrhundert. Wang Yande berichtet vom Salz aus den Bergen nördlich von Beiting (Beshbalik), das die Leute sammelten. Dabei trugen sie Schuhe mit Holzsohlen; eine notwendige Vorsichtsmaßnahme, da Lederschuhe verbrannt wären. Chang Chun bemerkte südlich von Samarkand eine Salzwasserquelle, deren Wasser verdunstete, wodurch sich auf der Bodenoberfläche weißes Salz ablagerte. Und Marco Polo schließlich bestaunte in der Nähe von Balkh Berge ganz aus Salz, aus einem überaus harten Salz, das nur mit eisernen Pikkeln abgetragen werden konnte und in so großer Fülle vorhanden war, daß es für die ganze Welt bis ans Ende der Zeiten genügen würde.*

# Die Höhlen der 1000 Buddhas von Kizil

Die Tausend-Buddha-Höhlen von Kizil liegen nordwestlich von Kutcha am Nordufer des Muzart. 236 Höhlen erstrekken sich von Ost nach West auf 2 Kilometer Länge. Sie wurden zwischen dem 3. und 10. Jahrhundert gegraben. Einige dieser Grotten mögen als Heiligtümer gedient haben, doch andere scheinen Wohnungen gewesen zu sein. Die Archäologen Grünwedel und Le Coq entdeckten auch eine Bibliothek, doch ließen sie leider die auf Papier oder Birkenrinde geschriebenen Manuskripte an Ort und Stelle. Die bedeutendsten oder interessantesten Grotten bekamen von den deutschen Archäologen Namen, je nach ihrem hervorstechendsten Charakteristikum: Grotte des Musikantenchors, der behelmten Ritter, der Pfauen, des Affen, der Gebetsmühle, der beringten Tauben etc.

*Links die Grotte Nr. 38, tunnelförmig angelegt, vermutlich aus dem 3.–4. Jahrhundert, die sogenannte Musikantenchorgrotte. Auf mehreren Wandgemälden sind tatsächlich Flöte, Pipa oder andere Instrumente spielende Bodhisattvas zu erkennen. In der gleichen Grotte wechseln zahlreiche Szenenbilder aus Episoden der früheren Leben des Buddha, jataka, mit Predigerszenen ab (Rechte Seite).*

# Am Knotenpunkt der Straßen der Taklamakan

»Die Kleidung der Männer besteht aus einem sehr weiten, von einem Gürtel zusammengehaltenen Baumwollhemd, das bis zu den Waden herabreicht und stets über die ebenfalls sehr weite, an der Taille von einer Kordel gehaltene Baumwollhose getragen wird. Die Hosenbeine werden in Stiefel gesteckt, die vorne breit und eckig sind, einen sehr hohen Absatz haben, äußerst schwer und unbequem sind und aus einem schlecht präparierten, sehr schnell verbleichenden Leder gefertigt sind. Die eleganteren Herren tragen anstatt der Stiefel Strümpfe aus weichem Leder und ziehen, um auszugehen, Galoschen über. Mit einem Paar Baumwollstrümpfen und einem runden Käppchen, das mehr oder weniger verziert sein kann, ist der Sommeranzug fertig, recht salopp.«

*Kashgar, Treffpunkt der Nord- und der Südumgehung der Taklamakan, war einst das bevorzugte Tauschzentrum der Karawanen aus dem Westen und aus China. Fast drei Viertel der Bevölkerung hat islamischen Glauben angenommen.*

»Sie verwenden, ja geradzu im Übermaß, duftende Kräuter wie Minze, Anis und Koriander sowie Knoblauch und roten Pfeffer. Die Gewürze aus Indien sind sehr geschätzt; doch ihr hoher Preis verhindert übermäßigen Gebrauch, und die zahlreichen heilenden Eigenschaften, die man ihnen zuspricht, führen dazu, daß sie eher als Medikamente denn als Küchengewürze verwendet werden.«

*Übers. aus: J.-L. Dutreuil de Rhins und P. Grenard, Mission Scientifique dans la Haute Asie.*

# Das Grabmal der
# »Duftenden Gattin«

»Wie es heißt, war Kashgar
einst ein unabhängiges
Königreich, doch jetzt unter-
steht es dem Großkhan. Die
Leute dort verehren Maho-
met... Zahlreiche Kleidungsstücke und Waren kommen
dorthin. Die Leute leben vom
Handwerk und Handel und
vor allem von der Baumwoll-
verarbeitung. Sie haben sehr
schöne Zier- und Weingärten
und schöne Obstbaumpflan-
zungen. Die Erde ist fruchtbar
und bringt alles zum Leben
Notwendige hervor, denn das
Klima ist gemäßigt. Baum-
wolle wächst dort reichlich,
auch Flachs und Hanf und
mancherlei andere Dinge.
Von dieser Gegend ziehen
viele Händler aus, die in die
ganze Welt reisen.«

*Marco Polo, Beschreibung der
Welt*

*Gegen Ende des 10. Jahrhun-
derts hat der Islam den
Buddhismus verdrängt. Die
Familie Hodja, die im 17. Jahrhundert diesen Raum
beherrschte, gab vor, von
Mohammed abzustammen. Aba
Hodja ließ ein prachtvolles, mit
grünen Schindeln überdachtes
Mausoleum errichten, das auch
Grabstätte von Xiangfei, der
»Duftenden Gattin« genannt
wird. Dies war der Name der
Konkubine von Khozi Khan,
dem Herrscher von Yarkand. Sie
soll im Jahre 1759 bei der Eroberung von Kashgar und Yarkand
gefangen genommen und nach
Peking entführt worden sein.
Wenn man der Legende glauben
will, so hat diese hübsche Person
islamischen Glaubens, die
angeblich einen ganz besonde-
ren Duft um sich verbreitete,
den Kaiser von China nie
erhört.*

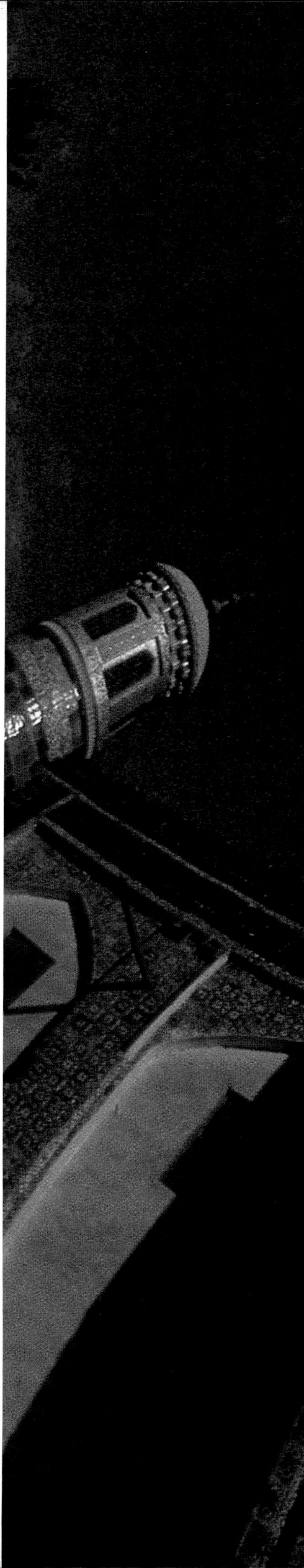

132

# AUF DEN SPUREN DES BUDDHA

## DIE ROUTE NACH INDIEN

Wer von Kashgar nach Indien und zu den heiligen Stätten des Buddhismus zog, hatte öde und gefahrvolle Stellen zu passieren: »Im Herzen der vier Berge, die zur Ostkette der Congling-Berge gehören, gibt es eine Stelle, die rund hundert qing mißt (tausend chinesische Morgen = 6,6 Hektar). In der Mitte, wie auch unten, sieht man im Sommer und im Frühjahr riesige Anhäufungen von Schnee; der Wind wirbelt, und es ist eisig kalt. Die Felder sind salzgetränkt; die Saat geht nicht auf. Bäume fehlen völlig, und man sieht nur ab und an ein wenig kümmerliches Gras. Selbst in den Zeiten großer Hitze gibt es hier viel Wind und Schnee. Kaum haben die Reisenden diese Stelle erreicht, sind sie auch schon von Dunst und Wolken umschlossen. Die Händler, die hier in beide Richtungen ziehen, machen Schweres durch auf diesem qualvollen und gefährlichen Wegstück« (*Xuanzang, Xiyu ji*).

Durch den Paß von Kunjerab gelangt man ins heutige Pakistan, die ehemaligen Königreiche Uddiyana und Gandhara. Hat man Gilgit hinter sich gelassen und den Indus passiert, kommt man nach Taxila, etwas westlich vom heutigen Islamabad. In den Hochburgen des Buddhismus, die in dieser Gegend konzentriert waren, wurden viele Traditionen gepflegt, die mit dem Buddha in Zusammenhang standen. In Uddiyana hatte der Buddhismus eine tantrische Färbung, mit dem Ritual der *mantras* und den magisch wirkenden Sprüchen. Xuanzang wie auch Faxian sahen dort einen Fußabdruck des Buddha; man erklärte ihnen, diese Spur habe der Buddha Tathagatha hinterlassen, nachdem er einen Drachen bezwungen hatte. Dieser Fußabdruck könne lang oder kurz erscheinen, jeweils abhängig von der lauteren Gesinnung des Betrachters. In Gandhara bemerkte Xuanzang, abgesehen von den zahlreichen Stupas (buddhistische Reliquiare), eine wundertätige Buddhastatue. Diese Statue wanderte, und eines Nachts, als sich Räuber anschlichen, schritt sie auf diese zu. Von Entsetzen gepackt sollen diese sofort die Flucht ergriffen haben.

Die Pilger, die die indischen Hochburgen des Buddhismus aufsuchten, gaben keiner bestimmten Route den Vorzug. Doch die wichtigsten Stätten, an denen der Buddhismus die markantesten Spuren hinterließ, reihen sich überwiegend im Tal des Ganges. Eine Ausnahme bildet Mathura (Muttra), ein Ort, wo in Stupas zahlreiche Reliquien aufbewahrt sind. Wie Xuanzang berichtet, war jedermann an den sechs Fastentagen des ersten, fünften und neunten Monats eines jeden Jahres »eifrig bemüht, den Stupas Ehre zu erweisen. Perlengeschmückte Banner werden geschwenkt und üppige Sonnenschirme prunkvoll aufgespannt. Duftwolken und ein unablässiger Blütenregen machen Sonne und Mond für das Auge unsichtbar«.

In Sravasti (Sahet-Mahet), der ehemaligen Residenz des Königs Prasenajit, dem Protektor des Buddha Sakyamuni, sah Xuanzang noch die Ruinen des königlichen Palastes sowie zahlreiche Stupas, die von Begebenheiten im Leben des Buddha kündeten. In Kapilavastu (Tilaura Kot), das weiter nördlich (im heutigen Nepal) lag, verweilte Xuanzang am Geburtsort des Prinzen Siddharta, welcher der Buddha werden sollte. Auf den Ruinen des Palastes von König Suddhodana, seinem Vater, war ein Kloster errichtet worden. An allen Orten, die Etappen im Leben des Buddha darstellten, waren Stupas erbaut, die verehrt wurden. Xuanzang besuchte auch Kusinagara (Kushinagar, nicht weit von Gorakhpur), die völlig zerstörte Stadt, wo der Buddha im

Alter von achtzig Jahren ins Nirwana eintrat. Dort gab es ein Kloster, mit einer Statue des liegenden Buddha, den Kopf nach Norden gewandt, im Augenblick seines Eintritts in das Nirwana.

In der Nähe von Benares, wo der Buddhismus recht wenige Anhänger gefunden hatte und die Mehrheit der Bewohner dem Hinduismus huldigte, bemerkte Xuanzang drei von Drachen bewachte Teiche; dort hatte der Buddha gebadet und seinen Becher und sein Mönchsgewand ausgewaschen: ein Abdruck in einem Stein zeugte davon. Xuanzang besuchte auch Vaisali (Besarh, nördlich von Patna), den Ort des zweiten buddhistischen Konzils, wo Fragen der mönchischen Disziplin erörtert worden waren. Vor allem aber machte er in Bodh-Gaya halt. Nahebei stand der Baum der Erwek-

*Diesseits und jenseits der chinesisch-pakistanischen Grenze — in Kashgar wie auf der Route nach Peshawar — ist das Kamel als Zug- oder Lasttier das am meisten benutzte Transportmittel in den Ebenen.*

kung *(bodhi),* die Buddha am Fuße dieses Baumes zuteil geworden war. Dieser Baum namens *pippala* war zu Buddhas Zeit etliche hundert Fuß hoch, doch nachdem — wie Xuanzang erzählt — böse Könige ihn beschnitten und abgehackt hatten, maß er nur noch rund fünfzig Fuß. Xuanzang begab sich auch noch nach Rajagriha (bei Rajgir), der ehemaligen Hauptstadt des Königreichs Magadha, wo König Bimbisara herrschte und das erste buddhistische Konzil stattfand. Er hielt sich auch in Nalanda auf, das in einem gewaltigen Kloster eine echte buddhistische »Universität« beherbergte. Diese war für ihr hohes Niveau berühmt. Etwas später, zwischen 675 und 685, studierte hier der auf dem Seewege angereiste Pilger Yijing.

»Man folgte der Kette nach Südwesten und marschierte fünfzehn Tage lang. Diese Route ist außergewöhnlich schwierig und ermüdend, gespickt mit Behinderungen und gefährlichen Steilhängen. In diesen Bergen sieht man nur Felswände, die achttausend Fuß Höhe haben. Wenn man sich ihnen nähert, verwirrt sich der Blick; und wenn der Fuß beim Vorwärtsschreiten ausgleiten sollte, so vermöchte ihn nichts zu halten.«
*Gaoseng Faxian zhuan*

*Die Überquerung des Pamir war zu allen Zeiten ein schwieriges Abenteuer. Wo die Tianshan-, die Karakorum-Berge und der Hindukusch zusammentreffen, bildet sich das Pamir-Plateau, das etwa 3000 m hoch liegt und dessen Gipfel eine Höhe bis zu 7000 m erreichen.*

Nächste Doppelseite: *Am Fuße des Pamir, auf chinesischer wie auch auf sowjetischer Seite, züchten die Kirgisen-Nomaden Yaks, Schafe und Pferde. Einstmals, im 9. Jahrhundert, regierten die Kirgisen ein weites Königreich, das sich bis zum Baikal-See erstreckte.*

137

# Tiaoyang, der »Hammel-Streit«

Mittelpunkt des autonomen tadjikischen Gebiets ist Tashkurgan, vielleicht der Steinerne Turm des Ptolemäus. Einst, unter den Han, war es vermutlich der Stadtstaat Puli. Xuanzang beschreibt dieses Königreich unter dem Namen Qiepantou. Die Bevölkerung erschien ihm recht ungehobelt: »Die Sitten sind keineswegs von den Prinzipien der Riten geregelt. Es gibt wenige, die sich mit den Schriften befassen. Da sie einen leicht erzürnbaren und heftigen Charakter haben, besitzen sie auch feurigen Mut.«

*Ein bei den Tadjiken sehr beliebtes Spiel ist der »Hammelstreit«, tiaoyang, bei dem Reiter einander einen enthaupteten Hammel oder Ziegenbock abjagen; es ist das berühmte Bouskatchi-Spiel, das man aus Afghanistan kennt.*

# Minderheiten im Pamir

*Die Tadjiken sind nicht sehr zahlreich in China; ihre Minderheit konzentriert sich im autonomen Gebiet Tashkurgan, südwestlich von Kashgar. Nach tadjikischem Brauch heiraten die jungen Leute zwischen 15 und 16 Jahren.*

Nächste Doppelseite: *Die Kirgisen führen nur im Sommer ein Nomadenleben. Sie hausen dann in Jurten, die sie beim Weiterziehen auf dem Rücken der Kamele transportieren. Im Winter ziehen sie sich in ihre unverputzten Ziegelbauten am Fuße der Berge zurück.*

# Der Zug durch den hohen Pamir

»Beim zweiten Wintermond passierten Faxian und drei andere im Süden kleine Schneeberge. Auf diesen Bergen häuft sich sommers wie winters der Schnee. Auf der Nordseite herrscht übermäßige Kälte, die so heftig ist, daß man fast erstarrt. Und doch war es nur Huijing, der diese strenge Kälte nicht zu ertragen vermochte und sich außerstande sah, weiterzugehen. Weißer Schaum trat ihm aus dem Mund. Er sagte zu Faxian: es ist ausgeschlossen, daß ich von hier nochmals zurückkehre. Brecht sofort auf. Wir dürfen nicht alle hier umkommen. Nach diesen Worten tat er seinen letzten Atemzug.«
*Gaoseng Faxian zhuan*

*Sobald der Paß Kunjerab zwischen China und Pakistan überwunden ist, verläuft die Route in Richtung Gilgit. Sie erreicht den Oberlauf des Indus, der im Großen Himalaya entspringt. Das Nanga-Parbat-Massiv umrundend, fließt er durch großartige Schluchten.*

# Ladakh

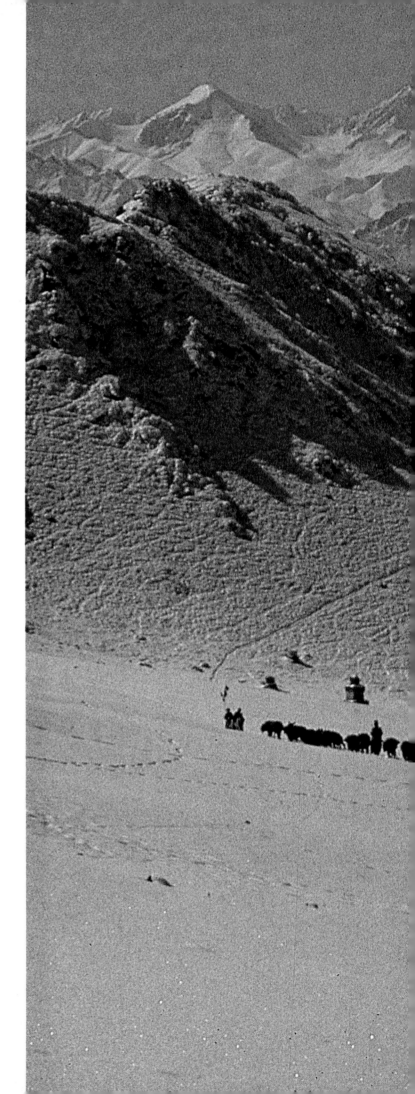

Rücktransport Sir Aurel Steins nach Ladakh, wegen
seiner Erfrierungen an den Füßen: »Dann folgten
wir der Route nach Karakorum, die gesäumt ist von
Tragtierskeletten, traurige Zeugen der ständigen
Opfer, die die großen physischen Strapazen hier for-
dern. Und am 3. Oktober überquerten wir den Karakorum-Paß in 18 687 Fuß Höhe über dem Meeresspiegel und mit ihm die Grenze zwischen China
und Indien... Man trug mich über die Hänge des
Gletschers und die Moränen des Sasser-Passes,
wobei die Kulis aus Ladakh, geduldig und gutmütig
wie sie sind, ihr Bestes taten, um mir schmerzhafte
Stürze auf Eis und Schnee zu ersparen. Doch ich
war traurig beim Gedanken, wie sehr ich mich ein
paar Wochen zuvor am Anblick einer so großartigen
Berglandschaft und einer solchen Gletschertour
erfreut hätte.«
*Übers. aus: Sir Aurel Stein, Ruins of Desert Cathay*

*Ladakh, an der Grenze von
Tibet, Indien und Pakistan, ist
noch tief durchdrungen vom
Buddhismus tibetischer Ausprä-
gung.
Die Mehrheit der Bevölkerung
lebt in der Gegend um Leh.
Diese Stadt war Ausgangspunkt
mehrerer britischer archäologi-
scher Expeditionen in Richtung
Zentralasien gegen Ende des 19.
und zu Beginn des 20. Jahrhunderts. Von Leh aus erreichte man
nämlich über den Karakorum-
Paß Karghalik, Yarkand und die
Südumgehung der Taklamakan.*

# Im Herzen von Gandhara

»Die Ränder der Berge ragen wie Mauern empor. In einer dieser Stein-wände, am östlichen Rand, findet sich eine breite und tiefe Höhle, die dem Drachen Gôpâla als Behausung dient. Der Pfad, der dorthin führt, ist schmal und eng; die Höhle ist dunkel und düster. Die Steine, die den Ostrand bilden, schwitzen beständig, und das Wasser, das herunterrinnt, gelangt bis auf diesen Pfad. Einst sah man dort den Schatten des Buddha, strahlend wie sein natürliches Antlitz und mit allen Zeichen der Schön-heit; man hätte meinen können, es sei der leibhaftige Buddha. Seit den letzten Jahrhunderten ist er nicht mehr vollständig zu erkennen. Obgleich

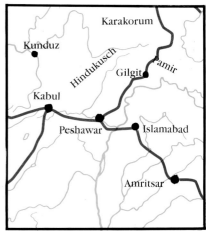

*Peshawar (rechts) an der Strecke, die von Pakistan über den Khyber-Paß nach Afghani-stan führt, liegt im Herzen des ehemaligen Königreiches Gand-hara. Neben seinem an Kunst-schätzen reichen Museum ist das überaus rege Geschäftsleben dieser Stadt für den Besucher äußerst interessant.*

*In Chilas, am Oberlauf des Indus, 130 km südlich von Gil-git, wurden in den Fels gehauene buddhistische Darstel-lungen gefunden, die auf das 5.–6. Jahrhundert datiert wer-den.*

man etwas wahrnimmt, ist es nur eine schwache und zweifelhafte Ähn-lichkeit. Wenn ein Mensch aufrichtigen Glaubens dort betet, und wenn diesem eine geheime Empfindung zuteil wurde, sieht er ihn deutlich; doch lange kann er sich an seinem Anblick nicht erfreuen.«
*Xuanzang, Xiyu ji*

151

# Der Taj Mahal

»Die Gewänder der Ketzer sind überaus mannigfaltig und jedes in seiner Art unterschiedlich. Einige tragen eine Pfauenschwanzfeder, andere schmücken sich mit aufgefädelten Schädelknochen; die einen tragen keinerlei Kleidung und bleiben gänzlich nackt, die anderen bedecken sich den Körper mit geflochtenen Grasmatten. Wieder andere reißen sich die Haare aus und schneiden sich die Schnurrbärte ab, während andere buschige Backenbärte stehenlassen und ihre Haare oben auf dem Kopf zusammenknoten.«
*Xuanzang, Xiyu ji*

*Der Taj Mahal von Agra* (linke Seite) *ist eines der berühmtesten Bauwerke Indiens. Er wurde zwischen 1632 und 1643 von Shah Jahan zum Gedenken an seine Gattin, die schöne Mumtaz Mahal, die »Erkorene des Paradieses«, errichtet.*

»Unter den Götzen, welche die Einwohner dieses Landes anbeten, steht der Ochse an vorderster Stelle. Sie sagen, er sei heilig, denn er pflügt die Erde, die das Korn wachsen läßt; daher lassen sie sich um nichts in der Welt bewegen, einen Ochsen zu töten oder sein Fleisch zu essen.«
*Marco Polo, Beschreibung der Welt*

# Der Ganges, heiliger Fluß der Hindus

Der Ganges faszinierte Xuanzang, wie er auch heute noch fasziniert: »In der Nähe seiner Quelle ist dieser Fluß drei *Li* breit; an seiner Mündung beträgt seine Breite rund zehn *Li.* Seine Wasser sind bläulich, doch sie ändern häufig ihre Farbe, und seine Fluten sind gewaltig ausladend. Eine große Anzahl wundervoller Geschöpfe leben in ihm, die für den Menschen übrigens harmlos sind. Das Wasser hat einen süßen und angenehmen Geschmack und führt außergewöhnlich feinen Sand mit. In den indischen Texten nennt man es ›Wasser der Glückseligkeit‹. Wer darin badet, so heißt es, werde von all seinen Sünden gereinigt. Wer davon trinkt oder

*Der mehr als 2700 km lange Ganges ist der heilige Fluß der Hindus. Sie sprechen ihm reinigende und heilende Wirkung zu. Wenige Kilometer von Benares entfernt badete Buddha im Fluß Nairanjana, bevor er sich unter dem Baum der Erwekkung niederließ.*

sich auch nur den Mund wäscht, sieht, wie das Unheil, das ihn bedrohte, sich verflüchtigt. Wer darin ertrinkt, wird unter den Göttern wiedergeboren. Eine Vielzahl Männer und Frauen versammeln sich ständig an seinen Ufern.«
*Xuanzang, Xiyu ji*

# Der Diamantenthron unter dem Baum des Erwachens

»Der Stamm des Baumes ist von gelblichem Weiß und seine grünen und glänzenden Blätter fallen weder im Sommer noch im Winter. Nur wenn der Jahrestag des Nirwana kommt, lösen sie sich ab, um schon am nächsten Morgen ebenso schön neu geboren zu sein. An diesem Tag versammeln sich die Könige und die Herren unter seinen Ästen, begießen ihn mit Milch, entzünden Lampen, streuen Blumen und ziehen sich zurück, sobald sie einige von seinen Blättern aufgesammelt haben.«

*Huili u. Yanzong, Biographie des Xuanzang, 3 (nach der Übers. v. Julien)*

*Unter dem Baum der Erwekkung von Bodh Gaya gelangte Buddha zur Erleuchtung. Am Fuße dieses Baumes, auf dem Diamantenthron, der wie durch ein Wunder dort aus der Erde aufgetaucht war, meditierte Buddha über den Schmerz und den Zyklus der Wiedergeburten; den Anfechtungen Maras des Teuflischen trotzend, gelangte er zu vollkommener Weisheit: indem man aufhört, nach dem Leben zu dürsten, hört auch der allumfassende Schmerz auf.*

# VOM PAMIR-GEBIRGE NACH BAGDAD

Verläßt man den Kleinen Pamir in westlicher Richtung, stößt man auf den Oberlauf des Amu-darya. Über Feyzabad und Kunduz im Norden Afghanistans kann man Balkh erreichen. Hier machten der Pilger Xuanzang, aber auch Marco Polo Station. Polo berichtet, genau hier in Baktra (Balkh) solle nach einer Legende, die hier im Umlauf sei, Alexander der Große die Tochter des Perserkönigs Darius zur Frau genommen haben. Von Balkh aus stand es dem Reisenden frei, den Weg nach Merv oder gar nach MeschED und zum Südufer des Kaspischen Meers einzuschlagen. Weiter südlich liegt Bamiyan, im Westen von Kabul, das man von Peshawar aus erreicht. Die berühmten Kolossal-Statuen des Buddha, die man vor nicht allzu langer Zeit noch besichtigen konnte, hatten bereits Xuanzang beeindruckt: »Im Nordostteil der königlichen Stadt sieht man am Berghang eine steinerne Statue des stehenden Buddha; sie ist 140–150 Fuß hoch, sein Gesicht ist mit strahlendem Gold überzogen, und der kostbare Zierat funkelt. Im Osten (dieser Statue) steht ein Kloster, das von einem früheren König dieses Landes gegründet wurde. Östlich des Klosters wiederum steht eine mehr als hundert Fuß hohe Statue des Buddha Sakyamuni aus Messing. Der Körper wurde in Einzelstücken gegossen, die man dann zusammensetzte, um (die Statue) zu vollenden und aufzurichten. Zwei oder drei *Li* östlich der Stadt befindet sich in einem Kloster eine mehr als tausend Fuß lange liegende Statue des in Nirwana einkehrenden Buddha.«

Zu Beginn des 8. Jahrhunderts kam noch ein weiterer Mönch nach Bamiyan, diesmal ein Koreaner, namens Hye-č'o (chinesisch Huichao), der darüber in seinem *Wang wu tianzhuouan,* Bericht über eine Reise nach Indien, spricht.

Von Bamiyan oder auch von Balkh aus verläuft die Route nach Westen bis Herat. Genau diese Strecke von Herat nach Balkh hat zwischen 1420 und 1421, sowohl auf dem Hin- als auch auf dem Rückweg, Ghiyath-ed Din, der als Gesandter nach China kam, benützt. Herat war damals die Hauptstadt Shah Rokhs, und in dieser Zeit unterhielt das China der Ming enge Beziehungen zu diesem Königreich. Im Jahre 1432 entsandte der Ming-Kaiser Xuanzong (Xuande-Ära) einen Eunuchen mit einem Brief, in dem er den Warenaustausch befürwortete:

»Mögen die Kaufleute unserer Länder nach Belieben reisen und Handel treiben.«

Leider kam der Bote nicht bis Herat. Doch dies war ein paar Jahre zuvor Chen Cheng (gest. 1457), einem anderen Boten, gelungen. Dieser hinterließ sogar eine Beschreibung der Stadt und der Gebräuche in seinem *Shi xiyu ji* (Bericht einer Gesandtschaft in die Westländer):

»Die Männer scheren sich den Kopf kahl und hüllen sich in ein weißes Stück Stoff. Die Frauen bedecken sich den Kopf und lassen nur Öffnungen für die Augen. Die weiße Farbe gilt als Farbe der Freude, während Schwarz die Farbe der Trauer ist (in China war Weiß die Farbe der Trauer). Spricht ein höher Gestellter zu einem Mann niederen Standes, nennen beide einander schlicht beim Namen. Wenn sie sich treffen, verneigen sie sich leicht und beugen dreimal das Knie. Beim Essen verwenden sie weder Löffel noch Stäbchen...« Von Herat aus kann man wieder das Südufer des Kaspischen Meeres erreichen. Das ist anscheinend der direkteste Weg. Aber die Reisenden sind auch noch durch andere Orte des heutigen Iran oder Irak gezogen: Kirman, Isfahan,

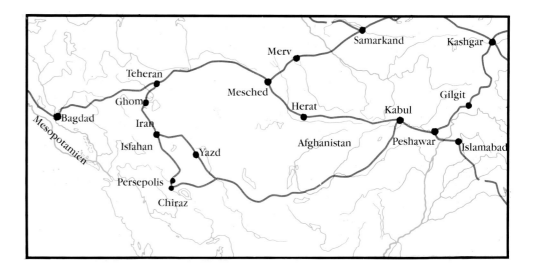

*Dorf im Pyramidenstil, in der Nähe des Salang-Passes nördlich von Kabul, am Anstieg zum Hindukusch. Die Dächer der unteren Häuser dienen den höher gelegenen als Terrassen.*

Tabriz, Bagdad oder Mossul beispielsweise, die Marco Polo erwähnt.

In Kirman fielen Marco vor allem die Türkise auf, die geradezu im Überfluß vorhanden waren. Wie er ebenfalls vermerkte, gab es in allen großen persischen Städten »zahlreiche Händler und Handwerker, die vom Handel und ihrer Hände Arbeit lebten, denn sie fertigen Stoffe aus Gold und Seide aller Art«.

Tabriz (Marco Polos Tauris) war ein bedeutender Warentauschplatz, überwiegend für Stoffe und Kleidung: »Die Lage der Stadt ist so vorteilhaft, daß die anderen Waren aus Baudac (Bagdad), aus Indien, Mossul, Curmos (Ormuz) und aus so manchen anderen Orten leicht hingelangen können: häufig finden sich auch etliche lateinische Kaufleute, vor allem Genueser ein, um jene Waren, die aus fremden Ländern kommen, zu erwerben. Hier kauft man auch Edelsteine und Perlen in großen Mengen. Kurz: eine echte Han-

*Holzskulpturen aus Nuristan, die das Grab einer hohen Persönlichkeit kennzeichnen. Diese modernen Skulpturen sind eine Stilisierung der Kafir-Bildnisse aus der Zeit vor der Eroberung im Jahre 1895 durch den Emir Abdur Rahman.*

delsmetropole, wo die Kaufleute große Gewinne machen.«

Tabriz war zu jener Zeit tatsächlich der Knotenpunkt verschiedener aus dem Orient kommender Routen und letzte Etappe, bevor man in die von venezianischen und Genueser Kaufleuten kontrollierten Zonen eintrat.

Auch Bagdad war ein großes Handelszentrum. Es war die Residenz des Abbasiden-Kalifen, vom 8. Jahrhundert bis zur Eroberung im Jahre 1258 durch Hulegu, den Bruder des Großkhans Mangu. Außer Marco Polo hat uns noch ein anderer Reisender eine Beschreibung Bagdads hinterlassen: Chang De, den Mangu 1259 zu seinem Bruder schickte. »Die Stadt bestand aus einem westlichen und einem östlichen Teil. Ein breiter Fluß trennte beide Hälften. Die westliche Stadt hatte keine Mauern, aber die östliche war befestigt; ihre Mauern waren aus mächtigen Ziegeln gebaut. Ihr oberer Teil bildete ein prachtvolles Bauwerk...«

# Die Steilküste
# von Bamiyan

Rechts: *Auf der Ostseite des Bamiyan-Felsens befindet sich unter den Hunderten von in den Stein gehauenen Aushöhlungen die ganz mit Fresken ausgemalte Nische des 35 m hohen »Kleinen Buddha« (5. Jahrhundert). Links sieht man die Klosterhöhlen mit ihren Altarräumen, ihren Gemeinschaftssälen und Mönchszellen.*

*Blinder Bettler im Mausoleum von Hazrat Ali in Mazar-e Sharif. Dieses Mausoleum wurde am Ende des 15. Jahrhunderts vom Timuriden-Sultan Hussain Baiqara erbaut.*

# Die Zitadelle von Bam

*Dieser Signalturm in der Nähe von Zahedan, im südlichen Iran, erinnert an die Spähertürme der Großen Mauer. Der im 11. Jahrhundert errichtete Ziegelbau ist 15 m hoch.*

Rechts: *Die ehemalige Zitadelle von Bam ist von einer dreifachen Befestigungsmauer umgeben. Die Stadt stammt aus der Sassanidenzeit, doch die heute noch sichtbaren Ruinen gehen auf die Safaviden zurück. Im 18. Jahrhundert wurde die Zitadelle zerstört und aufgegeben.*

»Da Persien weitgehend Holz und Stein entbehrt, sind alle Städte, mit Ausnahme einiger Häuser, üblicherweise aus Erde erbaut; doch aus einer Erde, die einer Art Lehm gleicht und so gut geknetet wird, daß sie sich so leicht schneiden läßt wie ein Rasen, wenn sie die richtige Beschaffenheit hat. Die Mauern baut man lagen- oder schichtweise, je nachdem wie hoch man sie haben will. Zwischen die Schichten, die jede drei Fuß hoch sind, fügt man zwei oder drei Reihen sonnengebrannte Ziegel. Diese Ziegel werden in einer eckigen, drei Finger hohen und sieben oder acht Daumen breiten Form hergestellt, und aus Angst, sie könnten beim Trocknen in der Sonne brechen, bedeckt man sie mit zerriebenem Stroh, das ein Zerspringen bei zu großer Hitze verhindert. Die zweite Schicht wird erst aufgetragen, wenn die erste ganz trocken ist, und diese zweite Schicht muß weniger breit sein als die untere, so daß nach und nach eine Abstufung erfolgt. Doch wenn man nicht achtgibt, kommt es vor, daß diese immer kleiner wird, so daß bei der vierten oder fünften Schicht nicht mehr genügend Breite da ist, um noch eine weitere daraufzusetzen. Die Bauten, die aus diesen sonnengebrannten Ziegeln errichtet werden, sind recht sauber, und der Maurer schmiert sie, nachdem er die Wände errichtet hat, mit einem Mörtel aus jenem Lehm ein, von dem ich bereits gesprochen habe. Diesen vermischt er mit Stroh, so daß, wenn alle Unebenheiten ausgeglichen sind, das Ganze recht einheitlich aussieht.«

*Übers. aus: J.B. Tavernier, Les six Voyages en Turquie et en Perse*

# Die Ruinen von Ghagha-shar

Rechts: *Am unteren Südhang findet man überall Spuren von Räumen und Gewölbegängen, die sich auf unregelmäßige, etagenförmig angelegte Terrassen verteilen. Die unteren Räume waren voller Trümmer und Abfälle, und es ist anzunehmen, daß die meisten von ihnen schon verlassen wurden, als der Ort noch bewohnt war.*

*Inmitten des Hamoun-Sees am Helmand-Fluß, unweit von Zabol an der iranisch-afghanischen Grenze, liegen die von Sir Aurel Stein erforschten Ruinen von Ghagha-shar und die Partherstadt Kuh-i Kvadja.*

»Von dort gelangt man nach Tcheelminar, wo ich mehrmals gewesen bin, unter anderem auch in Begleitung des Herrn Angel, einem Holländer, der von der Gesellschaft geschickt worden war, um dem damaligen König von Persien, Chah-Abbas II., das Zeichnen beizubringen. Er blieb über acht Tage und zeichnete all diese Ruinen, von denen ich seitdem noch weitere Zeichnungen gesehen habe, die diesen Ort als eine sehr schöne Sache darstellen. Doch als er seine Arbeit beendet hatte, gestand er, seine Zeit schlecht genutzt zu haben;

*Die gewaltigen Ruinen von Persepolis zeugen von der großartigen Stadt, die von Darius I. gegen Ende des 6. vorchristlichen Jahrhunderts erbaut, von Xerxes vergrößert und von Alexander dem Großen 331 v.Chr. zerstört wurde.*

die Sache lohne weder gezeichnet zu werden, noch, daß ein Wissensdurstiger auch nur eine Viertelstunde lang von seinem Wege abweiche.«

*Die Seitenfront des Großen Palastes* (links) *war mehr als 100 m lang. Der Palast war auf einer Terrasse erbaut, und die Treppe, die dort hinaufführte* (rechts), *war mit persischen Wächterfiguren dekoriert.*

# Die Paläste
# der Perserkönige

»Denn letztlich sind es nur alte Säulen, einige stehen noch, andere liegen am Boden, sowie ein paar überaus schlecht gemachte Figuren mit ein paar viereckigen und dunklen Kammern. Dies alles kann jene, die wie ich die wichtigsten Pagoden Indiens gesehen haben, leicht davon überzeugen, daß ich recht hatte, als ich Tcheelminar als einen Ort falscher Gottheiten bezeichnete.«
*Übers. aus: J.B. Tavernier, Les six Voyages en Turquie et en Perse*

Links *der Wohnpalast des Xerxes.* Rechts *der »Palast der hundert Säulen«, von Artaxerxes I. (465–424) vollendet. Die Türpfosten waren mit persischen Heroen dekoriert.*

# Die Kashgai
von Fars

*Das Volk der Kashgai, Hirtenno-
maden aus Fars, besteht aus
rund 150 000 Mitgliedern, die
auf fünf Stämme verteilt sind,
die ihrerseits in Gruppen und
Untergruppen geteilt sind. Ihre
Herkunft ist noch nicht eindeutig erwiesen. Sicher ist, daß sie
seit etwa dreihundert Jahren in
Fars leben, doch weiß man
nicht, ob sie aus dem Kaukasus
kommen oder Abkömmlinge der
Horden Dschingis-Khans oder
Tamerlans sind.
Während die Männer die Herden bewachen, jagen und den
Tee bereiten, spinnen die
Frauen Wolle, weben Teppiche
und melken die Ziegen. Durch
die Anlage eines Straßennetzes
und die Ausweitung der Kulturen auf die Weidegebiete wird
ihr Nomadendasein wohl bald
ein Ende haben.*

*Die türkisch-sprechenden
Kashgai in der Provinz Fars führen, wie viele andere aus östli-
cheren Breiten stammende Völker, nur noch zum Teil ein
Nomadenleben. Im Sommer ziehen sie nördlich von Chiraz
umher, und im Winter suchen
sie mit ihren Ziegen und Schafen Zuflucht im Süden. Sie sind
in Familienverbände gegliedert,
die sich auf 40 bis über 100
Zelte verteilen. Diese Familien
wiederum bilden Klans, deren
Zahl sich nur schwer bestimmen
läßt.*

# Kamele,
# Karawanen,
# Karawansereien

*Manchmal erhalten auch
Kamele ein festliches Zaumzeug.
Noch bis vor kurzem besorgten
Kamelkarawanen in Ostiran
den Warentransport. Selbst
wenn man mittlerweile den*

*Süden der Wüste zwischen
Zahedan und Bam motorisiert
durchquert, sind Kamele immer
noch nützlich.*

Rechte Seite: *Diese zerstörte
Karawanserei geht auf das
12. Jahrhundert zurück. Hier
fanden die Reisenden alles, um
sich auszuruhen und zu erfri-
schen. Auch Waren wurden ausgetauscht.*

# Schiiten und Anhänger des Zoroastrismus

»Die Unterschiedlichkeit, die sich bei den Mahometanern findet, liegt nicht in den verschiedenen Auslegungen des Alcorans begründet, sondern vielmehr in den unterschiedlichen Auffassungen, die sie von den ersten Nachfolgern Mahomets haben, woraus insbesondere zwei völlig gegensätzliche Sekten entstanden sind, von denen die eine sich Sekte der Sunnis und die andere sich Sekte der Schiais nennt...«

*Im Raume Yazd, im Zentrum des Iran, hat der Zoroastrismus bis heute überlebt, wie im kleinen Dorf Mubarak zu sehen ist. Mesched im Nordosten des Iran, einst wichtige Etappe auf der Seidenstraße, ist die heilige Stadt der Schiiten. Ali Reza, der achte Imam der Schiiten, der zu Beginn des 9. Jahrhunderts dem Kalifen Mamoun nachfolgen sollte, wurde hier, nach dem Genuß von Weintrauben, beerdigt. Die Schiiten glaubten, er sei vergiftet worden und machten ihn zum Märtyrer.*

»Die zweite, der die Perser folgen, heißt die Sekte der Schiais. Sie verachten die drei ersten Nachfolger Mahomets, Abou-baker, Omar und Osman, und behaupten, sie stünden in der Nachfolge Mahomets dank Ali, seines Neffen und Schwiegersohns. Sie sagen, diese Nachfolge bestehe in elf Hohepriestern, die von Ali abstammen und mit ihm zusammen zwölf ergeben.«
*Übers. aus: J.B. Tavernier, Les six Voyages en Turquie et en Perse*

Zu den folgenden Seiten: *Zwei gegensätzliche Bilder vom heutigen Iran* – links *eine Gruppe von Frauen in traditioneller Bekleidung auf dem Platz von Isfahan*, rechts *eine Kundgebung junger Schiiten in Mesched.*

# Isfahan und seine berühmten Teppiche

*Isfahan ist heute noch ein berühmter Ort für Teppich-knüpferei. Die Bezeichnung »Teppiche aus Isfahan« bezog sich lange Zeit auch auf geknüpfte Teppiche aus Herat oder Tabriz.*

»Von der Ecke dieser Seite, die von der aufgehenden Sonne bis zu einer Moschee und bis zur anderen Ecke bis zum Untergang der Sonne reicht, erstreckt sich das Viertel der Buchhändler und Buchbinder und Truhenschrei-ner. In der Mitte dieser Südseite steht ein großes Portal mit einem

Turm zu jeder Seite, das den Durchgang zu einer Moschee freigibt, deren Tür mit lauter Sil-berblech beschlagen ist, und dies ist gewiß die schönste Tür und der schönste Eingang aller Moscheen Persiens.«
*Übers. aus: J.B. Tavernier, Les six Voyages en Turquie et en Perse*

*In Isfahan sind noch mehrere Moscheen aus den Dynastien der Seldschuken und Safaviden erhalten. Die Masjid-I-Chah auf dem Maidan-i-Chah-Platz wurde zwischen 1611 und 1629 von Chah Abbas I. erbaut.*

Die nördlich der Tianshan-Kette entlanglaufende Route, die den dritten Landweg vom Westen nach China bildet, wird von den chinesischen Autoren nicht vor dem 3. Jahrhundert erwähnt, und auch dann sind die Hinweise nicht eindeutig. Es scheint jedenfalls, daß über mehrere Pässe ein Zugang von dieser Route zur Südumrundung des Tianshan möglich war, und zwar entweder zwischen dem Barköl-See und Hami, oder zwischen Turfan und Jimusa (dem früheren Beshbalik, der Uighuren-Hauptstadt, die chinesisch Beiting heißt). In westlicher Richtung mündet die Route in das Ili-Tal. Von Kutcha aus erreicht man über den Bedel-Engpaß den Issikköl-See. Diese Strecke benutzte auch Xuanzang auf dem Hinweg. In der Nähe von Suye (Tokmak) traf Xuanzang den türkischen Khan. Er war tief beeindruckt von der königlichen Residenz und dem — relativen — Prunk, der ihm dort überall ins Auge sprang:

»Der Khan bewohnte ein gewaltiges, mit Goldblumen verziertes Zelt, dessen Glanz die Augen blendet. Die Offiziere, die Geleit boten, hatten vor dem Zelt lange Matten auslegen lassen, auf die sie sich in zwei Reihen niederließen; alle trugen funkelnde Gewänder aus brochierter Seide. Hinter ihnen stand aufrecht die Garde des Khan. Obwohl es sich nur um einen Barbaren-Fürsten handelt, der unter einem Filzzelt haust, konnte man nicht umhin, bei seinem Anblick Bewunderung und Respekt zu empfinden.«

In dieser Gegend hatten sich einst die Wusun niedergelassen, und auch Zhang Qian war hier durchgezogen. Die Königreiche, die Xuanzang bereiste, in der Gegend um die heutigen Städte Frunze oder Taschkent gelegen, erweckten nur schwaches Interesse bei ihm. Eine Ausnahme bildete das Land der Tausend Quellen, dessen Lieblichkeit so kraß abstach von den rauhen Landstrichen, die er durchquert hatte:

»Der Boden ist üppig bewässert, und die Bäume der Wälder zeigen prachtvolle Vegetation. In den letzten Frühlingsmonaten funkeln Blumen aller Art, als wäre der Boden überreich bestickt. Es gibt tausend Becken mit sprudelndem Wasser; daher stammt der Name ›Tausend Quellen‹. Der Khan der Türken kommt jedes Jahr hierher, um der Sommerhitze zu entfliehen. Man sieht auch eine große Anzahl Hirsche, die mit Glöckchen und Ringen geschmückt sind. Sie sind mit den Menschen vertraut und flüchten nicht bei ihrem Anblick. Der Khan liebt sie und sieht ihnen gerne zu. Für seine Untertanen hat er ein Dekret erlassen, welches besagt, daß jeder, der es wagen sollte, einen Hirsch zu töten, gnadenlos mit dem Tode bestraft werden würde. Daher dürfen all diese Hirsche unbehelligt bis an ihr Ende hier verweilen.«

Von Xuanzang unerwähnt bleibt, daß der Buddhismus in diesen Gegenden regen Zuspruch fand, wie zahlreiche archäologische Funde beweisen. So wurden zum Beispiel in Ak-beshim im Zhu-Tal, unweit von Frunze, zwei buddhistische Tempel freigelegt, die aller Wahrscheinlichkeit nach aus dem 7. oder 8. Jahrhundert stammen. Auch in Saryg und Ozhul, in der Nähe von Frunze, wie auch in Kuva, weiter südlich im östlichen Ferghana, wurden buddhistische Relikte gefunden. Erwähnenswert ist auch das buddhistische Kloster von Adjina-Tepe in Tadjikistan, etwas nördlich vom Amu-darya, eine große Anlage, in der man Wandmalereien und Skulpturen entdeckte. Zu nennen ist auch das nicht weit von Samarkand gelegene Pendjikent, die ehemalige Hauptstadt eines sogdischen Fürstentums.

# DIE ROUTE NACH SAMARKAND

184

# Die Nomaden des Ili-Tales

Pendjikent erfuhr im 7. und im beginnenden 8. Jahrhundert eine Hochblüte und ist berühmt durch die Wandmalereien in den Häusern des Adels und der Kaufleute. Die auf dem Berge Mugh gefundenen neunzig Handschriften in zumeist sogdischer Sprache haben uns neue Aufschlüsse geliefert über die Geschichte der Sogdiana sowie über das Wirtschaftsleben der sogdischen Gesellschaft. Ein wichtiges Handelszentrum war auch Afrasiab im alten Teil Samarkands, das man für die von dem römischen Geschichtsschreiber Quintus Curtius Rufus erwähnte Stadt Marakanda zu halten geneigt war. Xuanzang machte dort halt und war beeindruckt von den natürlichen Reichtümern dieses Landes und seinem überaus regen Handelsleben:

»Das Königreich Samojian (Samarkand) hat einen Kreisumfang von sechzehn- bis siebzehnhundert *Li*. Das Gebiet ist langgestreckt von Ost nach West und schmal von Süd nach Nord. Es wird von natürlichen Hindernissen geschützt und ist reich bevölkert. Die kostbarsten Waren fremder Länder strömen in großen Mengen in diesem Königreich zusammen. Der Boden ist fett und fruchtbar und liefert üppige Ernten. Die Bäume der Wälder zeigen eine prachtvolle Vegetation, und Blumen und Früchte sprießen im Überfluß. Dieses Land liefert eine große Zahl hervorragender Pferde. Die Bewohner zeichnen sich gegenüber denen anderer Länder durch großes künstlerisches und handwerkliches Geschick aus.«

Von den zahlreichen archäologischen Funden, die in Afrasiab gemacht wurden, vor allem, was die Malereien anbetrifft, ist eine der großartigsten ohne Zweifel »die Gesandtschaft« aus dem 7. Jahrhundert, auf der die

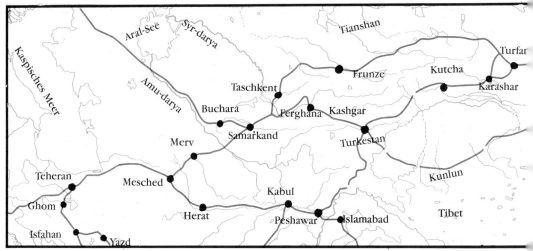

Gesandten mit ihren Geschenken abgebildet sind: sie brachten Straußenvögel dar.

Je weiter man nach Westen vordringt, desto zahlreicher werden die Routen. Von Taschkent aus erreichte man über den Syr-darya (ehemals Iaxartes) und den Aralsee das Kaspische Meer: diesen Weg schlug Johann von Plano Carpini (Giovanni dal Piano del Carpini) ein. Aber auch wenn man dem Lauf des Amu-darya (Oxus) folgte, gelangte man zum Aralsee und zum Kaspischen Meer: das war vermutlich die Route von Maffeo und Nicolò Polo. Schließlich konnte man auch direkt nach Südwesten ziehen, auf Merv und das Südufer des Kaspischen Meers zu. Von dort aus ließen sich die weiter südlich verlaufenden Routen erreichen.

*Auf den Weideflächen von Nilk am Oberlauf des Ili ziehen die Kasachen Hunderttausende von Pferden auf. Bereits unter den Han waren die von den Wusun hier gezüchteten Pferde besonders gefragt.*

Rechte Seite: *Die Kasachen nördlich des Tianshan-Gebirges führen noch ein Nomadenleben, allerdings nur im Sommer. Während dieser Jahreszeit leben sie in Jurten.*

Vorhergehende Doppelseite:
*Die Himmelsberge, Tianshan, bilden die Barriere zwischen der Wüste Taklamakan und der Ebene der Dschungarei.*

Rechts: *Die Herrschaft über die Ili-Ebene nördlich des Tianshan-Gebirges machten sich einst Xiongnu und Wusun streitig. Die Grenzprobleme zwischen China und Rußland im 19. Jahrhundert wurden 1880 durch den Ili-Vertrag geregelt.*

Rechts: *Die bei den Nomadenhirten von der Mongolei bis Zentralasien gebräuchliche Jurte mongolischen Stils hat einen Durchmesser von etwa 5 m und eine Höhe von 3 m. Ihre Wände bestehen aus Filz, der auf Holzrahmen gespannt ist. Der Boden ist meist mit Teppichen bedeckt.*

»Sie haben keinen festen Wohnsitz und wissen nie, wo sie am nächsten Tag sein werden... Jeder Anführer, je nachdem, ob er mehr oder weniger Männer befehligt, kennt die Grenzen seiner Weidegebiete, weiß, wo er im Winter und im Sommer, im Frühling und im Herbst weiden lassen muß.

Das Haus, in dem sie schlafen, errichten sie auf einem kreisrunden Sockel aus geflochtenen Stäben; der Dachstuhl des

*Kasachen gibt es diesseits und jenseits der chinesisch-sowjetischen Grenze. In der UdSSR sind sie in einer eigenen Republik zusammengefaßt, die sich bis zum Kaspischen Meer erstreckt; doch selbst dort stellen sie nur noch eine Minderheit von 40% der Bevölkerung (aufgrund der vielen russischen und ukrainischen Einwanderer).*

Hauses besteht aus Stäben, die am Gipfel zu einer kreisrunden Öffnung zusammenlaufen, von wo aus ein kaminähnliches Rohr aufsteigt; sie bedecken es mit weißem Filz, den sie recht häufig mit Kalk oder weißer Erde und mit Knochenpulver einschmieren, damit das Weiß frischer leuchtet. Manchmal verwenden sie auch schwarzen Filz.«

*Wilhelm von Rubruck, Reise ins Mongolenreich*

*Die Kasachen züchten auch Kamele. In der Republik Kasachstan zählt man noch rund 200 000 Tiere.*
*Die arabische Eroberung Zentralasiens im 7. Jahrhundert ging langsamer vor sich als die des Sassanidenreichs, doch hat der Islam auch dort noch eine breite Basis.*

*Die Bevölkerung Zentralasiens spiegelt in der Unterschiedlichkeit der Physiognomien die Mannigfaltigkeit derer wider, die einst auf der Seidenstraße reisten.*

# Taschkent

»Die Männer und die Frauen
flechten ihre Haare. Die Müt-
zen der Männer sehen von
weitem wie Hügel aus. Sie
sind mit Stickereien und Qua-
sten verziert. Alle Beamten
tragen solche Hauben. Leute
niedrigen Ranges bedecken
sich den Kopf mit einem etwa
sechs Fuß langen Stück weißen Musselins. Die Frauen
der Häuptlinge und die
Reichsten umhüllen ihren
Kopf mit einem Gazestück
von fünf bis sechs Fuß Länge
in schwarzer oder dunkelro-
ter Farbe. Manchmal ist es mit
Blüten und Pflanzen
bestickt.«

*Chang Chun, Xiyu ji (Bericht
einer Reise in den Westen)*

*Taschkent hat keine so reiche
historische Vergangenheit wie
Samarkand oder Buchara. Einst
unter dem Namen Shash
bekannt, wurde es im 11. Jahrhundert von Al-Biruni mit der
Steinernen Stadt des Ptolemäus
gleichgesetzt. Eine herausra-
gende Rolle spielte es vor allem
zur Zeit Tamerlans.*

*Die Moschee des Khodja Ahmed
Yasebi (rechts) stammt aus dem
16. Jahrhundert. Ahmed (gest.
1503), einer der Söhne des Djag-
hataiden-Khans Yunuz, herrschte
über die Gegend am Ili und über
Turfan, während sein Bruder
Mahmoud seinen Sitz in Taschkent hatte.*

# Der Teppichmarkt

»Obgleich es sich um eine Barbarenstadt handelt [Maracanda, Samarkand], findet man Teppiche von einem Purpurrot, das sich höchstens mit einem in der Sonne funkelnden Glas Wein vergleichen ließe; und sie sind so dicht, daß man beim Darüberschreiten auf einer Galeere zu schaukeln vermeint.«
*Catull*

*Der Sonntag ist Basartag in Taschkent. Eine der Hauptaktivitäten ist der Verkauf von Teppichen aus Wolle.*

»Der König (Chah Abbas II.) trat ein durch eine Tür, die von seinem Gemach in den Saal führt; in seinem Gefolge nur dreizehn Eunuchen seiner Garde und zwei ehrwürdige Greise, denen das Amt obliegt, dem König die Schuhe auszuziehen, sobald dieser jene Räume betritt, die mit Teppichen aus Gold und Seide ausgelegt sind, und sie ihm wieder anzuziehen, wenn er sie verläßt.«
*Übers. aus: J. B. Tavernier, Les six Voyages en Turquie et en Perse*

# Ferghana und seine »Himmelsrösser«

Rechte Seite: *Das Ferghana-Tal war seit eh und je für die Qualität seiner Pferde berühmt. Hier waren auch die von Han-Kaiser Wu so heißbegehrten »Himmelsrösser« gezogen worden.*

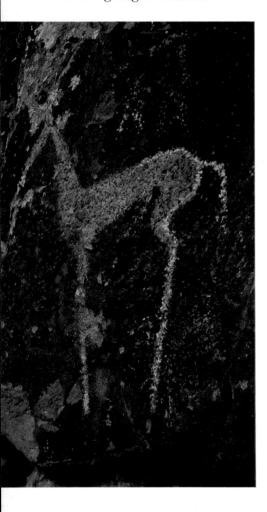

*Im Raume Osh und Saimaly-Tash finden sich Pferdedarstellungen im Felsgestein. Die Entstehungszeit dieser Felsbilder läßt sich nur vermuten, doch könnten die frühesten Abbildungen aus der Bronzezeit stammen.*

»Das Königreich Feihan (Ferghana) mißt viertausend *Li* im Rund. Auf allen Seiten ist es von Bergen umgeben. Der Boden ist reich und fruchtbar; er liefert üppige Ernten und eine große Menge Blumen und Früchte. Dieses Land eignet sich für die Aufzucht von Schafen und Pferden. Das Klima ist windig und kühl. Die Menschen haben eine beharrliche und mutige Natur; ihre Sprache unterscheidet sich von der anderer Völker, ihr Gesicht ist häßlich und abstoßend. Seit mehreren Jahrzehnten hat dieses Land kein Oberhaupt mehr. Die kräftigsten Männer führen bewaffnete Kämpfe gegeneinander und bleiben voneinander unabhängig. Da sie sich von Flüssen und natürlichen Hindernissen geschützt wissen, haben sie die Grenzen ihres Territoriums abgesteckt und sich ihren jeweiligen Wohnbereich gesichert.«
*Xuanzang, Xiyu ji*

# Das Pamir-Plateau

»Durch diese Ebene reitet
man zwölf Tage. Sie wird
Pamir genannt. Während dieser zwölf Tage findet man
weder Haus noch Herberge,
sondern nur Wüste entlang
des ganzen Weges, und man
findet nichts zu essen: die
Reisenden, die sie durchqueren müssen, sollten sich Vorräte mitnehmen. Dort gibt es
keine Vögel, wegen der Höhe
und der großen Kälte und
weil sie dort kein Futter finden würden. Außerdem
brennt wegen der großen
Kälte auch das Feuer nicht so
hell und heiß; es erreicht
auch nicht die gleiche Farbe
wie an anderen Orten, und so
kann das Fleisch nicht richtig
gar werden.«

*Marco Polo, Beschreibung der
Welt*

*Die Bevölkerung von Tadjikistan,
das sich im Süden der Ferghana
und im Westen des Pamir-Plate-
aus erstreckt, ist iranischen
Ursprungs. Tadjiken gibt es
sowohl in der UdSSR als auch in
Afghanistan und China.*

# Der Zoroastrismus

*Lange Zeit war im Raum Frunze in Kirgisien der Zoroastrismus die beherrschende Religion, in der man auch die Ursprünge der für Zentralasien typischen Bestattungsriten suchte.*

Zahlreiche Grabfunde aus der Sogdiane, aus Chorasmien oder der Margiane bezeugen eindeutig den Einfluß des Zoroastrismus in Zentralasien. Den Bestattungsvorschriften des Zoroastrismus gemäß mußte der Leichnam so lange liegengelassen werden, bis Vögel und Hunde ihn abgenagt hatten. Vom 3.–4. Jahrhundert an wurden die Knochenreste häufig in Ostotheken, d.h. Behältern verschiedenster Form, gesammelt und aufbewahrt.

»Wohin sollen wir sie tragen, die Knochen der Toten, o Ahura Mazdan? Wo sie niederlegen?«

»Dafür werden wir ein *uzdâna* machen, unerreichbar für Hunde, Fuchs und Wolf, das auch das Wasser des Regens von oben her nicht zu nässen vermag. Sofern die Anbeter Mazdans die Mittel haben, (wird es) aus Stein oder Gips oder Erde (gemacht)...«
*Vendidâd, VI, 49–51*

*Drei Typen sogdischer Ostotheken. Oben: Kassettenartig mit gegossenem Dekor; links: »Jurtenartig« mit eingeschnitztem Dekor. Rechts: Anthropomorpher Deckel einer jurtenförmigen Ostothek.*

# Samarkand
und seine Fayencen

>>Die Stadt Samarkand ist auch sehr reich an Waren, die von überall her kommen. Rußland und Tartarien schikken Flachs und Häute; China schickt Seiden, die die besten der Welt sind, und Moschus, den man nirgendwo anders in der Welt findet, sowie Rubine und Diamanten, Perlen, Rhabarber und vieles andere mehr. Die Waren, die aus China kommen, sind die besten und kostbarsten, die in dieser Stadt einlangen, und man sagt, die Chinesen seien die geschicktesten Handwerker der Welt. Sie selbst sagen, daß sie zwei Augen haben, während die Franken nur eines haben und die Mauren blind sind, so daß sie allen anderen Ländern überlegen sind. Aus Indien kommen Gewürze wie Muskatnuß, Gewürznelken, Muskatblüten, Zimt, Ingwer und noch viele andere, die Alexandria nicht erreichen.<<

*Bericht von der Gesandtschaft Ruy Gonzales de Clavijos an den Hof Tamerlans, 1403−1406*

Folgende Doppelseite:
*Der Reghistan-Platz wird auf drei Seiten von drei madrasa oder theologischen Kollegs gesäumt. Außer den zwei oben erwähnten steht hier der Chir Dorr gegenüber die madrasa des Ulug Beg aus dem 15. Jahrhundert. Alle drei sind mit türkisfarbenen Fayence-Schindeln gedeckt.*

*Der Hauptplatz von Samarkand heißt Reghistan. Auf diesem Marktplatz ließ Ulug Beg (1393−1449), der Sohn von Shah Rokh, mehrere Moscheen errichten. Im 17. Jahrhundert wurde an der Stelle der alten Karawanserei die* madrasa *Tillia Kari (die Vergoldete) erbaut.*
*Ein paar Jahre zuvor war an diesem Platz auch die* madrasa *Chir Dorr (zu den Tigern) errichtet worden.*

# Merv, ehemalige Hauptstadt der Margiane

*Bereits Ende des 19. Jahrhunderts begann man im ehemaligen Gyaur-Kala (Merv), im südlichen Turkmenistan, 30 km vom heutigen Mary entfernt, mit den Ausgrabungen. Die Ruinen-*

*fläche beträgt etwa 7 qkm. Die am Murgab gelegene Stadt war die Hauptstadt der Margiane, Alexandreia. Die gewaltige Festung Erk-Kala war um das zweite vorchristliche Jahrhundert errichtet und nach der Schlacht von Karrhä (53 v.Chr.) wieder aufgebaut worden. Schon 651 wurde die Stadt von den Arabern eingenommen. Die Umfriedungsmauern, deren Ruinen man hier sieht, wurden im 6. Jahrhundert errichtet. Rechte Seite: Das Mausoleum von Sultan Sandjar, der über Khorassan herrschte und hier 1157 begraben wurde.*

»Die Oasenstadt war berühmt für ihre feine Baumwolle, die sie entweder im Rohzustand oder in Form von Stoffen exportierte; berühmt auch für die Stellung, die die Seidenraupenzucht einnahm, verbunden mit der Ausfuhr von Rohseide, aber auch Seidenstoffen. Das Viertel der Weber, wie das der Messing-

schmiede und der Töpfer wurde von den Karawanen des ganzen Mittleren Orients aufgesucht. Eines der Prachtdenkmäler der Stadt war das Mausoleum Sandjars, dessen gewaltige türkisblaue Kuppel bereits einen Tagesmarsch weit zu sehen war.«

*Übers. aus: René Grousset, Le Conquérant du Monde*

# VON MESO-POTAMIEN NACH KONSTAN-TINOPEL

*Die Routen in Richtung Syrien, die am Tigris oder am Euphrat entlangführten und vom Raume Basra aus den Irak durchquerten, wurden sowohl von denen benützt, die vom südlichen Iran aus über Fars und die Zagros-Berge auf dem Landwege reisten, als auch von jenen, die von Indien aus per Schiff durch den Persischen Golf kamen.*

Vorhergehende Doppelseite:
*Das Schicksal Bucharas war im Laufe der Geschichte häufig mit dem Samarkands verknüpft. Buchara gehörte zum Reich Tamerlans, wurde anschließend Hauptstadt der Chaybaniden (1500—1599), der Astrakhaniden (1599—1785) und — bis ins 19. Jahrhundert — der Mangiten. Was von den Mauern dieses bedeutenden Karawanenzentrums noch zu sehen ist, stammt aus dem 17. Jahrhundert.*

Die Routen, die aus dem Orient kamen und in Mesopotamien, Kurdistan oder Armenien zusammenliefen, mündeten in eine Vielzahl von Verkehrswegen, die zum Endziel Italien und Westeuropa führten. Entweder kann man den Handelsrouten der Antike folgen und Dura-Europos, Palmyra oder Antiochia, zur Zeit der Kreuzfahrer auch Akka, passieren, um über das Mittelmeer zu gelangen. Oder aber man steuert Konstantinopel an, was von der Krim aus möglich ist, sofern man vom Nordufer des Kaspischen Meeres kommt. Ein weiterer Weg führt über Trapezunt (Trabzon) von der Osttürkei aus über das Schwarze Meer. Ab Konstantinopel geht es dann auf dem Seewege weiter nach Italien. Das an den Ufern des Euphrat gelegene Dura-Europos war ein überaus reges Handelszentrum, aber auch ein militärischer Stützpunkt. Die im 3. Jahrhundert v.Chr. gegründete makedonische Kolonie fiel zu Beginn des 1. Jahrhunderts v.Chr. in die Hände der Parther und wurde zu einer Festung ausgebaut, um die Route am Euphrat zu sichern. Als Karawanenzentrum spielte die Stadt eine bedeutende Rolle im Handelsverkehr zwischen den Parthern und Römern, doch als die Römer sie im Jahre 165 n. Chr. einnahmen, ebbte ihre Bedeutung allmählich ab.

Das auf halber Strecke zwischen Euphrat und Mittelmeer gelegene Karawanenzentrum Palmyra war im 2. vorchristlichen Jahrtausend unter dem Namen Tadmor bekannt. Über diese Stadt wissen wir etwas mehr, denn neben literarischen Zeugnissen sind bedeutende Kunstdenkmäler erhalten. Zunächst einmal erwähnt sie der griechische Geschichtsschreiber Appian [116—70] in seiner im 1. Jahrhundert v. Chr. verfaßten *Römischen Geschichte,* dann aber auch Plinius:

»Die Stadt Palmyra, berühmt durch ihre Lage, den Reichthum ihres Bodens und ihre anmuthige Bewässerung, umgürtet ihre Ländereien in weitem Umkreise rings mit Sandwüsten, und so gleichsam von Natur außer aller Verbindung mit den übrigen Ländern, durch ein besonderes Schicksal aber zwischen zwei großen Reichen, dem römischen und dem Parthischen liegend, ist es bei etwaigem Streit immer der erste Gegenstand beiderseitiger Eifersucht. . .«

Dem fügt Flavius Josephus (37 bis etwa 100 n. Chr.) hinzu, dies sei »der einzige Ort, wo jene, die die Wüste durchqueren, Fontänen und Brunnen finden können.«

Tatsächlich war Palmyra bis zur Plünderung durch Aurelius im Jahre 272 ein wichtiger Umschlagplatz und Stützpunkt auf der Seidenstraße. Chinesische Seiden aus der Han-Zeit, die dort gefunden wurden, legen davon Zeugnis ab. Die Ausmaße der Ruinen machten auf den flämischen Reisenden Cornelis de Bruyn im 17. Jh. tiefen Eindruck:

»Wir sahen Hunderte von Ruinen von einer solchen Größe, daß ich, sofern man sich die ursprüngliche Schönheit dieses Ortes anhand des Verbleibenden überhaupt vorzustellen vermag, bezweifeln möchte, daß es je auf der Welt eine Stadt gegeben hat, die es an Schönheit mit dieser hätte aufnehmen können.«

Antiochia (heute Antakya) mit seinen beiden Häfen am rechten und linken Ufer des Orontes, hatte im Mittelmeerhandel eine entscheidende Stellung inne und rivalisierte mit Alexandria, zumindest bis zum 6. Jahrhundert, als die Erdbeben und die Eroberung durch Chusro I. diese Aktivität drosselten. Auch Laias (oder L' Ayas), unweit von Antiochia, im Golf von Alexandretta, spielte,

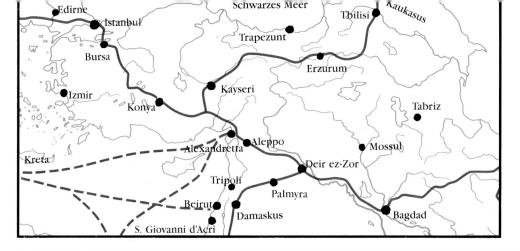

»Er wird Chiai Catai (China-tee) genannt und wächst in jenem Cacianfu (Xi'an) genannten Bezirk Cathays. Man verwendet ihn ständig, und er wird in all diesen Ländern sehr geschätzt. Man nimmt von diesem Kraut, ob getrocknet oder frisch, und kocht es kräftig in Wasser. Eine oder zwei Tassen dieses Gebräus, auf leeren Magen getrunken, vertreibt Fieber, Kopf- und Magenschmerzen sowie Seitenstiche und Gelenkschmerzen; doch man muß es so heiß wie möglich trinken... Und (dieser Tee) wird so hochgeschätzt und hochbewertet, daß alle, die auf Reisen gehen, davon mit-nehmen...«

*Aussagen des Hajji Mohamed über China, die Giovanni Batti-sta Ramusio berichtet wurden.*

wenn auch viel später, nämlich im 13. Jahrhundert, eine nicht zu unterschät-zende Rolle im Handel zwischen Italien und dem Mittleren Osten. Dort nahm auch Wilhelm von Rubruck auf seiner Rückreise das Schiff nach Zypern. Marco Polo berichtet:

»In besagter Provinz liegt am Meer eine Stadt namens Laias, mächtig und groß, mit regem Handelsbetrieb; man muß nämlich wissen, daß alle Gewürze und Tuche vom Euphrat zu dieser Stadt gebracht werden, wie auch alle ande-ren Kostbarkeiten. Im Übermaß gibt es Baumwolle. Die Händler von Venedig, Pisa und Genua sowie Kaufleute von allen Teilen des Inlandes kommen hier-her, um zu kaufen und zu verkaufen und haben hier ihre Lager.«

Auch Trapezunt (Trabzon) am Schwarzen Meer erlebte einen großen Handelsaufschwung. Marco Polo erwähnt den genau zwischen Tabriz und Trapezunt gelegenen Berg Ararat, auch Arche-Noah-Berg genannt, denn hier soll die Arche Noah gestrandet und angeblich zur Zeit Marcos noch sichtbar gewesen sein. Weiter nördlich, auf der Krim, lag Soldaia (oder Soudak), ein wichtiges venezianisches Handelskontor, von wo aus ostasiatische Seiden und Gewürze, aber auch russische Felle, Pelzwaren und Getreide, eingesalzene Fische aus dem Asowschen Meer sowie Sklaven exportiert wurden.

Von der inneren Türkei wissen wir weniger durch Marco Polo als durch

andere Reisende, die als Händler oder mit anderen Zielen unterwegs waren, wie beispielsweise Jean-Baptiste Tavernier (1605—1689) oder Jean Thévenot (1633—1667). Tavernier bereiste sechsunddreißig Jahre lang, mit kostbaren Dingen handelnd, den Vorderen Orient und Persien und gelangte sogar bis Indien.

Nach seiner Aussage starteten die Karawanen, die von der Türkei nach Persien zogen — und jeden zweiten Monat gab es eine — nicht unbedingt in Konstantinopel, sondern vielmehr in Bursa (Brusa). Auch Jean Thévenot, der zu seinem Vergnügen reiste, machte in Bursa, der ersten osmanischen Hauptstadt, Station.

*Tee, das bevorzugte Getränk im Mittleren Orient, war lange Zeit ein Importprodukt. Erst vor einigen Jahrzehnten begann man im Iran, in Georgien und in der Türkei mit dem Anbau des Teestrauches.*

# Hatra, Hochburg der Parther

*Das südlich von Mossul gelegene Hatra war zu einer Festung ausgebaut, hinter der sich die Parther im 1. und 2. Jahrhundert unserer Zeitrechnung gegen den Ansturm der römischen Heere verschanzten.*

Über die Zivilisation der Parther (3. Jh. v.Chr. — 2. Jh. n.Chr.) wissen wir nur wenig, da schriftliche Dokumente fehlen. Nur einige Baudenkmäler sind erhalten, und auch bei diesen wird — wie in Hatra (Al Hadr) oder Kuh-i Khvadja — besonders ausgeprägt griechischer Einfluß sichtbar. Der Palast von Hatra ist nach dem Schema des *iwan*-Hauses gebaut, das heißt aus gewölbten, auf drei Seiten geschlossenen Räumen, die auf der

*Der Palast von Hatra war, nach römischem Vorbild, aus Quadersteinen erbaut und ist vermutlich eines der am stärksten vom griechisch-römischen Stil beeinflußten Bauwerke.*

Rechte Seite: *Die Kameldarstellungen an den Mauern des Palastes von Hatra erinnern daran, daß die Stadt ein Karawanenzentrum gewesen ist.*

vierten Seite nach vorn hin offen sind. Zwei *iwan* (in Hatra) sind mit ihren Nebengebäuden aneinandergefügt. Hinter dem Palast befindet sich der Tempel.

# Der Euphrat, historische Verbindungsstraße

*Die Wasserschöpfräder oder Noria, die die Bewässerung der Kulturen gewährleisten, finden sich in ganz Asien, von China bis in den Vorderen Orient.*

Der Euphrat, Al-Furat, entspringt in der Türkei, fließt dann durch Syrien und den Irak, bevor er mit dem Tigris zusammentrifft, um den Chatt al'Arab zu bilden. Obwohl an seinem Lauf keine größere Stadt entstand, diente er, wie der Tigris, als Verbindungsweg zwischen dem Persischen Golf und Anatolien oder dem Mittelmeer.

Am Chatt al'Arab ergießt sich der Euphrat in Sumpfland. Die Wohnbauten bestehen dort aus Schilfrohr.

217

# Der Ziggurat,
# Haus der Götter
# Mesopotamiens

*Die Moschee von Samarra, der rund 100 km nördlich von Bagdad gelegenen ehemaligen Hauptstadt des Kalifen Al'Moutasim (9. Jahrhundert), ist für ihr spiralenförmiges Minarett berühmt.*

Rechte Seite: *Dreißig Kilometer nordwestlich von Bagdad stehen noch die 57 Meter hohen Ruinen des großen Ziggurat von Adar Kuf (14. bis 13. Jahrhundert v. Chr.). Diese gigantischen, mit quadratischen Sockeln versehenen Türme waren terrassenförmig angeordnet. Auf ihrer Spitze erhob sich ein Tempel oder eine heilige Stätte, die das »weltliche Haus« Gottes im Gegensatz zu seinem himmlischen Haus darstellte. Der am besten erhaltene Ziggurat steht in der Stadt Ur.*

# Dura-Europos

Die gegen 280 v.Chr. von Seleukos Nikator am rechten Euphratufer gegründete makedonische Kolonie Dura-Europos fiel zu Beginn des 1. Jahrhunderts unserer Zeitrechnung in die Hände der Parther und wurde im Jahre 165 von den Römern erobert. Nach der Zerstörung im Jahre 256 durch den Sassanidenkönig Schapur I. wurde sie aufgegeben.

Wie in Palmyra, das ebenfalls Karawanenzentrum war, wurde auch hier, wenn auch in schwächerem Maße, hellenistischer Einfluß im künstlerischen Bereich wirksam. Die bei Ausgrabungen freigelegten Malereien stammen zumeist von umherziehenden Malern, die aus Palmyra gekommen oder Juden oder Iraner waren.

*Seit 1932 wurde in Dura-Europos gegraben; dabei wurden mehrere Tempel (zu Ehren des Zeus, des Adonis u.a.) sowie ein christliches Baptisterium und eine Synagoge freigelegt. Der sensationellste Fund waren die — durch den Sand konservierten — Wandmalereien der Synagoge, die teils auf den Beginn, teils auf die Mitte des 3. Jahrhunderts zu datieren sind.*

# Die Beduinen Syriens

In der Regel zogen Karawanen lieber bei Nacht als bei Tag; im Sommer, um die Hitze zu meiden, und in den anderen Jahreszeiten, um dort, wo das Lager aufgeschlagen werden sollte, bei Tageslicht anzukommen. Denn käme man bei Einbruch der Dunkelheit an, könnte man im Dunkeln nicht mehr alles besorgen.«

»Die Kamele, die durch die nördlichen Provinzen der Türkei nach Persien ziehen,

*Die Teppiche, für die Beduinen Syriens ein wichtiges Element des Komforts, sind nicht geknüpft, sondern auf primitiven Webstühlen gewebt.*

gehen nur in Siebenerreihen hintereinander. Sie sind mit einem Strick von der Dicke des kleinen Fingers und der Länge eines Armes aneinandergebunden; dieser Strick ist hinten am Packsattel des vorangehenden Kamels befestigt und am anderen Ende mit einer Art Wollkordel verknotet, die durch einen Ring an den Nüstern des nachfolgenden Kamels gezogen wird.«
*J.B. Tavernier, Les six Voyages en Turquie et en Perse.*

Die Beduinen haben eine Lebensweise bewahrt, die sich aus dem Umherziehen mit Vieh-herden ergibt. Sie hausen unter Zelten aus grober Leinwand, manchmal auch aus Häuten, und bestreiten ihren Lebensun-terhalt vorwiegend aus Milch-produkten und Fleisch.

Tabak wird mit der Wasserpfeife oder houka geraucht. Dabei wird der Rauch, der durch ein langes Rohr aufsteigt, das mit einem Behälter voll parfümier-ten Wassers verbunden ist, abge-kühlt und mit Duftstoffen ange-reichert, bevor er in den Mund des Rauchers gelangt.

223

# Das Leben der Nomaden

*Die Beduinen züchten mehr Kamele als Ziegen, Schafe oder Pferde. Die Männer hüten die Herden, während die Frauen das Melken und die Herstellung von Milchprodukten besorgen.*

*Die Kamelherden, die jeder Lagerklan aufzieht, können aus mehreren hundert Tieren bestehen. Dieser hier (rechte Seite) besitzt 212 Stück.*

»Obgleich das Kamel groß ist und hart arbeitet, frißt es sehr wenig und begnügt sich mit dem, was es in dem Heidegras findet, wo es besonders nach Disteln sucht, die es sehr gern frißt. Sobald die Karawane den Ort erreicht, wo sie kampieren soll, stellen sich alle Kamele, die ein und demselben Herrn gehören, aus eigenem Antrieb im Kreis auf und lassen sich dann auf die vier Hufe nieder. Auf diese Weise gleiten die Lasten, sobald der Strick, mit dem sie befestigt waren, aufgeknotet ist,

rechts und links des Tieres ganz sachte zu Boden. Wenn wieder aufgeladen werden muß, läßt sich das Kamel wieder zwischen den Packsäcken nieder, um sich, sobald diese befestigt sind, mitsamt seiner Last vorsichtig wieder zu erheben. Dies geschieht mühelos und ohne Lärm.«
*Übers. aus: J.B. Tavernier, Les six Voyages en Turquie et en Perse*

# Der Säulenwald von Palmyra

»Kaum hatten wir diese verehrungswürdigen Denkmäler hinter uns, entdeckten wir, als die Berge nach beiden Seiten auseinandertraten, auf einmal die größte Anzahl von Ruinen — alle aus weißem Marmor —, die wir je erblickt hatten... Etwas Erstaunlicheres als diesen Anblick vermag man sich kaum vorzustellen. Eine so große Anzahl korinthischer Säulen mit so wenig Wänden und festen Bauten ergibt die phantastischste Wirkung, die man sich nur denken kann.«

*Übers. aus: Robert Wood, The Ruins of Palmyre (Besuch im Jahre 1751)*

*Palmyra, ebenfalls Grenzstadt, enthüllte im Zuge der zahlreichen aufeinanderfolgenden Ausgrabungen all den Reichtum seiner Denkmäler.*

*Links: die 1100 m lange Große Kolonnade;*

*Rechte und folgende Doppelseite: der dreifache Bogen. Die Säulen der Großen Kolonnade, die die Hauptstraße säumt, verdeckten zum Teil die rückwärtig gelegenen Bauten.*

226

# Die Reiterspiele
# Kleinasiens

»Sie sind sehr geschickt mit dem Assajai, und es ist ein Vergnügen, ihnen zuzusehen, wenn sie zu Pferde auf einem großen
Platz oder auf dem weiten Land einer hinter dem anderen herja-
gen, den Speer in der Hand: dieser Wurfspieß ist für gewöhnlich
ein viereckiger Stock, ein zugeschnittener Ast einer Palme, etwa
drei Fuß lang und zwei- bis dreimal so dick wie der Daumen.
Sobald der Verfolger dem Verfolgten auf Stocklänge nahegekom-
men ist, pflanzt er ihm den Assajai so geschickt mit einer Hand-
umdrehung, die den Druck verdoppelt, in den Rücken, daß er
selbst den Rückstoß so heftig erfährt, daß er sich manches Mal
erhebliche Wunden zufügt, ab und zu sogar am Kopf. In Kairo
erlebte ich einen, dem man einen Knochen aus dem Kopf holen
mußte, nachdem er von einem Assajai verwundet worden war.
Derjenige, der vorne ist und verfolgt wird, blickt bei der Flucht
zur Seite, um notfalls den Kopf einzuziehen oder den Assajai zu
packen und, wenn möglich, den Stoß abzufangen, indem er
seine Hand griffbereit hinten hält. Wenn er den Assajai zu fassen
bekommt, was recht häufig der Fall ist, verfolgt er den anderen,
und so vertauschen beide urplötzlich ihre Rollen.«
*Übers. aus: Jean Thévenot, Voyage du Levant, 1665*

*In den weniger trockenen Regio-
nen der Türkei kommt das
Pferd wieder zu Ehren. Überall
gibt es Reiterspiele.*

230

*Die traditionellen, auf Pferde und Reiterzubehör ausgerichteten Berufe existieren heute noch. Hier ein Sattler in seiner winzigen Werkstatt.*

231

*Konya ist berühmt für sein ehemaliges Kloster der Tanzenden Derwische,* mevlevi, *und durch die Grabstätte seines Gründers. Hier,* linke Seite: *ein alter Mann, der im Koran liest. Traditionsgemäß wird eine Hochzeit, die nach einem festen Ritual abläuft, zwei Tage lang gefeiert* (unten).

»Indessen wird diesem Buch bei all diesen Völkern so viel Glauben geschenkt, daß sie sagen, es sei im Himmel geschrieben und von Gott durch den Engel Gabriel während des Monats Ramadan an Mahomet gesandt worden, aber nicht auf einmal, sondern Kapitel um Kapitel; sie verehren es so inbrünstig, daß sie es niemals berühren, ohne es, bevor sie es lesen, auf ihrem Kopf zu tragen; und wollte sich jemand auf einen Alcoran setzen, würde er ein großes Verbrechen begehen.«

»In der Türkei sind die Frauen im allgemeinen schön, gut gewachsen und makellos, sie sind sehr weiß, da sie kaum ausgehen, und selbst wenn sie nach draußen gehen, sind sie verschleiert. Ihre natürliche Schönheit unterstreichen sie noch mit Kunstgriffen, denn sie färben sich die Brauen und Lider mit einer schwärzlichen, *surme* genannten Farbe, die angeblich Anmut verleiht.«
*Übers. aus: Jean Thévenot,* Voyage du Levant, *1665*

233

# Die »Feenkamine«
# von Kappadozien

In Kappadozien hat der
Mensch es verstanden, die
großartigen naturgegebenen
Bodenreliefs, Kuppen oder
Lavawände und all die unterschiedlichen Formen, die die
Erosion hervorgebracht hat,
zu nutzen. Dort hat er Kirchen und Klöster gegraben,
indem er in die Gesteins-
wände Pfeiler, Säulen, Wöl-
bungen, ja sogar Möbelstücke
(Altäre, Bänke und Tische)
meißelte. Diese Klöster, die
auf die von Basileus von
Cäsarea (Kayseri) im 4. Jahrhundert entwickelten Einsie-
deleien folgten, waren
zunächst Zufluchtsort für die
von den Römern und den
Byzantinern verfolgten Christen. Die ältesten Wandmalereien, mit denen sie
geschmückt waren, wurden
von den Arabern zerstört
oder verstümmelt.

*Die »Feenkamine«, durch Ero-*
*sion entstanden, und die in*
*weiches Felsgestein gegrabenen*
*Kirchen verleihen dem Tal von*
*Kappadozien ein märchenhaftes*
*Aussehen. In dieses Netz unterir-*
*discher Städte flüchteten sich die*
*verfolgten Christen.*

234

# Ein Kokonmarkt

*Bursa (Brusa) ist die Seiden-stadt der Türkei. Bei der jährlich stattfindenden Messe zieht der Kokonmarkt die Menge an.*

*Um den Seidenfaden abzuhas-peln, werden die Kokons in Was-ser getaucht, damit sich der den Faden umgebende Seidenleim auflöst.*

# VON KONSTAN- TINOPEL NACH ROM

Aufgrund seiner Lage am Bosporus, der Europa von Asien trennt, nahm Istanbul seit eh und je eine Sonderstellung ein. Das galt auch für die Seidenstraßen, die über Land oder Meer hier zusammenliefen. Seine Pracht verdankt das ehemalige Byzanz vor allem der Regierung Konstantins und der Gründung des Oströmischen Reiches.

Die letzte große Etappe, bevor man Italien erreichte, war Konstantinopel (Byzanz), eine Stadt, deren Pracht bei den Kreuzfahrern tiefste Bewunderung erregte. Als einer der ersten äußerte sich gegen Ende des 11. Jahrhunderts Geoffroi de Villehardouin: »Seine prächtigen Paläste und seine hohen Kirchen, die Länge und Breite der Stadt machten einen glauben, daß es auf der ganzen Welt keine ebenso mächtige Stadt gäbe; und wisset, daß auch der Verwegenste davor erschauderte« (*Die Eroberung Konstantinopels*). Villehardouin war nicht der einzige, den die Bedeutung Konstantinopels erstaunte. Die meisten der Vielgereisten hielten es für eine der beachtlichsten Städte der Welt, unter ihnen auch Ibn Battuta (14. Jh.):

»Sie (die Stadt) ist außergewöhnlich groß und durch einen Fluß in zwei Hälften geteilt, so daß die Gezeiten spürbar werden wie beim Fluß von Salé, der Stadt des Maghreb. Ehemals führte über diesen Fluß eine steinerne Brücke; doch sie wurde zerstört, und jetzt setzt man mit Barken über. Der Name des Flusses ist Absomy. Einer der beiden Teile der Stadt heißt Esthamboul; es ist derjenige, der sich auf dem Ostufer des Flusses erhebt, und dort wohnen der Sultan, die Großen seines Reiches und der Rest der griechischen Bevölkerung. Seine Märkte und Straßen sind breit und mit Steinfliesen gepflastert. Die Leute der verschiedenen Berufszweige haben ihre unterschiedlichen Plätze, die sie mit niemandem eines anderen Berufs teilen. Jeder Markt ist mit Toren versehen, die nachts geschlossen werden; die meisten Handwerker und Händler sind Frauen (Übers. nach *Voyages* von C. Defrémy und B. R. Sanguinetti).«

Eine ausführlichere Beschreibung liefert später Jean Thévenot (1633–1667). Er hebt unter anderem die Rolle dieser Stadt als Handelszentrum und insbesondere ihre *hans* oder Karawansereien hervor:

»Diese *hans* sind außerordentlich gut gebaut, und die tragenden Mauern sind aus Quadersteinen. Der schönste, den es in Konstantinopel gibt, ist der, den man Valida Hhane, *han* der Sultansmutter, nennt, da ihn die Mutter des jetzigen Hohen Herrschers erbauen ließ. Das ist sehr praktisch für die Fremden, die immer ein Haus zu mieten finden, das auch noch preiswert ist und mit einer Matratze, ein paar Decken, Teppichen und Kissen ausgestattet ist, so daß man ein möbliertes Logis vorfindet. Diese *hans* sind ein höchst einträgliches Geschäft für diejenigen, denen sie gehören« (*Reise in die Levante*).

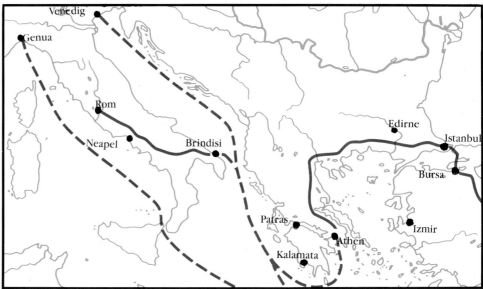

Von den chinesischen Geschichtsschreibern wurden Konstantinopel und Rom lange Zeit miteinander verwechselt. Großzügig nannten sie das Weströmische und dann auch das Oströmische Reich zuerst Da Qin und dann Fulin. Die Beschreibungen in den chinesischen Geschichtsquellen basieren außerdem zum größten Teil auf den Erwähnungen, die sich im *Hanshu,* der Geschichte der Han, finden, die im 1. Jh. unserer Zeitrechnung geschrieben wurde und deren Angaben ohne wesentliche Veränderungen in den folgenden Dynastiegeschichten übernommen wurden. So blieb das Römische Reich in der chinesischen Geschichte lange Zeit ein geheimnisvolles Land, das zur Zeit der Han-Dynastie als ein zweites China angesehen wurde.

*Der Bosporus, dessen Name »Furt des Stiers« oder »Stierträger« bedeutet, trennt Istanbul in zwei Teile. Die Legende besagt, Io, die Tochter des Königs von Argos, habe ihn in Gestalt einer weißen Kuh durchmessen, um dem Zorn des Zeus zu entrinnen. Darius setzte hier im Jahre 500 v. Chr. mit 700000 Mann über.*

In einem vermutlich im 7. Jahrhundert geschriebenen taoistischen Text, dem »Buch vom Göttlichen Elixier, dem trinkbaren Gold von höchster Reinheit«, *Taiqing jinyi shantan jing* (Kap. 3), wird dieser Mythos beibehalten, ausgeweitet und praktisch umgekehrt durch die Reise eines chinesischen Händlers nach Da Qin, auf der er sich als Gesandter ausgibt, der als Gastgeschenk Seide darbietet:

»Der Gesandte hatte dem König tausend Rollen brochierter Seide, die er auf seinem Schiff hatte, angeboten. Doch lachend sagte der König: ›Das sind ja Barbaren-Seiden! Welch schlechte Qualität, ein Beweis, daß diejenigen, die sie hergestellt haben, verderbte Kreaturen sind! Welch Mangel an Aufrichtigkeit: so etwas kann man in unserem Lande nicht gebrauchen!‹ Er wies sie von sich und nahm sie nicht an. Dann zeigte er dem Gesandten hauchzarte Gewebe aus Fäden (glänzend wie Jade), brochierte Seiden mit achtfarbigen Blumenmustern, türkisblaue Satins, einfarbige Seiden, mit Jadefäden durchwebt und Stickereien mit goldgesprenkelten blauen Steinen. Das Weiß war wie Schnee, das Rot wie die Feuer der untergehenden Sonne, das Blau übertraf die Federn der Eisvögel, und das Schwarz ähnelte einem flügelschlagenden Raben. (Diese Stoffe) hatten einen so strahlenden Glanz, überall fanden sich die fünf Farben; diese Stoffe waren vier Fuß breit; sie hatten keinerlei Mängel, und sah man (daneben) die mit Webfehlern gespickten Stoffe des

Gesandten, so waren die Seiden aus dem Land des Nordens wirklich jämmerlich. (Der Gesandte) selbst sagte: ›Im Lande der Da Qin fehlt nichts, und alles ist besser als in China! Das wird sich nie vergleichen lassen! Selbst in den Küchenöfen wird nur duftendes Holz verbrannt. Es duftet überall. In diesem Land gibt es keinerlei Schmutz. Wirklich ein Schlaraffenland!‹ Seit dieser Zeit wagte sich niemand mehr nach Da Qin: unter den Kaufleuten hatte es sich herumgesprochen (was er gesagt hatte), und so haben sie endgültig aufgehört, (in dieses Land) zu reisen« (*Übers. nach H. Maspero*).

*Der Bau der Hagia Sophia geht auf die konstantinische Epoche, auf das Jahr 347, zurück. Sie wurde mehrmals Opfer von Zerstörung und Brand, doch jedesmal wieder aufgebaut, insbesondere unter Kaiser Justinian (527–565), der sie prächtig ausgestalten ließ.*

# Die Hagia Sophia

»All jene, die Konstantinopel gesehen haben, stimmen überein, daß diese Stadt die schönste Lage der Welt hat, so daß es scheint, als hätte die Natur sie geschaffen, damit sie die ganze Erde beherrsche und befehlige.

Man sieht dort eine Menge schöner Moscheen, von denen die prächtigste die der Heiligen Sophia ist, ehemals Kirche der Christen, erbaut von Kaiser Justin, erweitert, bereichert und ausgeschmückt von Kaiser Justinian, gewidmet der Weisheit Gottes, weswegen man sie Agia Sophia nannte.«

*Übers. aus: Jean Thévenot, Voyage du Levant, 1665*

*Nach dem Fall von Konstantinopel im Jahre 1453, wurden die meisten Kirchen in Moscheen umgewandelt. So auch die Hagia Sophia. Seitdem hat sie einen Großteil ihres Mosaikdekors eingebüßt, von dem nur noch Fragmente erhalten sind.*

Rechte Seite: *Die Kuppel ist ein hervorstechendes Charakteristikum der byzantinischen Architektur, die im 5. Jahrhundert aufkam.*

# An der Grenze Asiens

*Inmitten des großen Basars von Istanbul. Im Vordergrund ein Silbergeschirrladen mit einer Vielfalt an Gefäßen aus getriebenem Metall.*

*Hochflorige Boden- und Wandteppiche waren in Istanbul zu jeder Zeit gefragt. Hier ein Teppichhändler.*

»Wir haben die prächtigen Basare, die das Zentrum von Istanbul bilden, besucht. Ein ganzes, solide aus Stein und im byzantinischen Geschmack erbautes Labyrinth, wo man weitläufig Schutz findet vor der Hitze des Tages. Riesige Passagen, die einen rund, die anderen spitz gewölbt, mit behauenen Pfeilern und Säulengängen, sind jeweils einer bestimmten Warenart vorbehalten. Man bewundert vor allem die Kleider und Lederpantoffeln der Frauen, die bestickten und lamierten Stoffe, die Kaschmir-Waren, die Teppiche, die mit Gold, Silber oder Schildpatt eingelegten Möbel, die Erzeugnisse der Gold- und Silberschmiede und mehr noch die funkelnden Waffen, die in dem *besestain* genannten Teil des Basars versammelt sind.«

*Übers. aus: Gérard de Nerval, Le Voyage en Orient*

Die Türkei, mit dem industriali-
sierten Europa liebäugelnd und
doch der Dritten Welt noch ver-
haftet, erlebt das Eindringen
neuer Produkte in traditionelle
Lebensweisen: hier Coca Cola
und Wasserpfeife.

Die Türkei ist ein wichtiger
Tabakerzeuger. Die Anbauflä-
chen erstrecken sich am Ägäischen, am Mittel- und am Mar-
marameer. Die alten Raucher
schätzen nach wie vor die Wasserpfeife.

# Der große Basar

*Der große Basar von Istanbul* (rechte Seite) *in der Altstadt war von Mehmet Fatih dem Eroberer im 11. Jahrhundert als Stoffmarkt erbaut worden. Der heutige Basar wurde 1898 wieder aufgebaut.*

# Entlang der griechischen Grenze

»Das griechische Festland, auf der Seite, die zu den Zykladen und zum ägäischen Meer hin blickt, streckt über Attika hinaus die Felsnase Sounion vor; und wenn man die Spitze umrundet, findet man einen Hafen und auf einer Anhöhe des Vorsprungs einen Tempel der Athena Sounias.«
*Pausanias, Beschreibung Griechenlands*

»Dieser Tempel war dorischer Art und aus der guten Zeit der Architektur. In der Ferne entdeckte ich das Meer des Archipels mit all seinen Inseln: die untergehende Sonne rötete die Küsten Zeas und die vierzehn schönen Säulen aus weißem Marmor, an deren Fuße ich mich niedersetzte. Salbei und Wacholderbüsche verbreiteten rings um die Ruinen einen aromatischen Duft, und das Getöse der Wellen drang kaum zu mir herauf.«
*Chateaubriand, Itinéraire de Paris à Jerusalem*

*Das Kap Sunion, das heilige Kap von Athen, das schon in der Odyssee erwähnt wird, war für die Schiffahrt ein gefährlicher Ort. Oben der im 5. Jahrhundert v.Chr. erbaute Poseidontempel.*

Folgende Doppelseite:
*Die Akropolis von Athen, ursprünglich Festung der Oberstadt, dann Sitz der politischen, administrativen und militärischen Macht, sollte in der Folge zum religiösen und geistigen Zentrum der Stadt werden.*

# Ankunft in Italien

»Alles, was in den vier Jahreszeiten auf der Erde und im Meer wächst, alles, was die verschiedenen Länder, was Flüsse und Seen (...) und Barbaren hervorbringen — dies alles kommt zu Euch. Wollte jemand alles sehen, was auf der Welt geschaffen wird, so müßte er entweder das Universum durchlaufen oder aber in Eure Stadt kommen; denn alles, was wächst und gedeiht, was in jedem Land produziert wird, gibt es hier jederzeit im Überfluß. Die Frachtschiffe bringen diese Waren von überall her in diese Stadt — und das im Frühjahr wie im Herbst. Und die Stadt gleicht einem weltumfassenden, gemeinsamen Markt.«
*Aelius Aristides, Loblied auf Rom*

Rechte Seite: *Brindisi, Hafen am Ionischen Meer, durch die Via Appia mit Rom verbunden. An dieser Stelle hatte man zwei Säulen errichtet, die das Ende der Via Appia markierten. Lediglich eine ist noch erhalten.*

*In Ostia, etwa 30 Kilometer von Rom entfernt, herrschte trotz seiner allmählichen Versandung reger Verkehr, bis der Hafen schließlich von Centumcellae (Civitavecchia) abgelöst wurde.*

Rechts: *Die Via Appia säumen an zahlreichen Stellen Grabdenkmäler.*

*Die zahlreichen, von Ostia gezeigten Mosaiken (unten) unterstreichen dessen Bedeutung als Handelshafen. Die Aushängeschilder der Kaufleute sowie die Überreste der Lagerhäuser, in denen die Waren gelagert wurden, sind noch zu sehen.*

*Der Trajan-Bogen (Mitte, rechts) in Benevent wurde im Jahre 114 anläßlich der Fertigstellung der Via Traiana errichtet.*

*Die römische Straße (S. 254 und S. 255) war mit großen, in Zement- und Kiesschichten eingelassenen Steinblöcken gepflastert. Dadurch, daß gewaltige Brücken die Täler überspannten, war sie meist geradlinig und eben. Die 312 v. Chr. erbaute, etwa vier Meter breite Via Appia wurde nach Rom zu immer breiter.*

# Venedig, die Heimatstadt Marco Polos

*Die Überreste des Palastes der Familie Polo, genannt »Milione«, nach den sagenhaften Reichtümern, die die Kaufleute auf ihren Reisen durch den Orient zu sehen bekommen hatten.*

*Rechts: Der Dogenpalast, Sitz der politischen Macht der ehemaligen Republik Venedig, die ihr Wirtschaftsimperium ausbaute, indem sie Handelsniederlassungen in Ägypten, Konstantinopel und im östlichen Mittelmeerraum bis zur Krim errichtete.*

*Über dem Portal »Porta della Carta«, durch das man in das Innere des Dogenpalastes gelangt, kniet der Doge vor dem geflügelten Löwen von St. Markus, dem Schutzpatron der Stadt. Seit dem 12. Jahrhundert wurde der Doge von den herrschenden Patriziern auf Lebenszeit ernannt, und sein Wirken verlor immer mehr an Einfluß.*

# GE-DANKEN-GUT UND SACH-GÜTER

Es ist überliefert, daß im Jahre 98 Gan Ying als kaiserlicher Gesandter zum Römischen Reich hin auszog, und 166 ein Kaufmann sich als Sendbote Kaiser Antonius' ausgab. Doch für die folgenden Jahrhunderte findet in den historischen Quellen nicht eine einzige Gesandtschaft Erwähnung, die aus der einen oder anderen Richtung ihr Ziel erreicht hätte. Lediglich für das Jahr 226 wird die Ankunft eines Händlers aus Da Qin im Königreich Wu gemeldet, einem der Drei Reiche, die im 3. Jahrhundert China unter sich aufgeteilt hatten. Dieser aus Tonking gekommene Kaufmann kehrte, wie es heißt, unbeschadet in sein Land zurück. Noch eine andere Mission aus Da Qin wird erwähnt. Sie soll im Jahre 284 dem Kaiser von China 30 000 »honigduftende« Papierrollen gebracht haben. Das ist sicher eine Fabel, denn der Baum mit dem Honigduft ist die Aloe, die vorwiegend in Annam wächst. Besagte Mission habe dort Station gemacht und Aloe-Holz gekauft, um es als Geschenk darzubieten. Für die Zeit vom 3. bis zum 13. Jahrhundert, als der Papst und der König von Frankreich ihre Gesandten ins Mongolenreich schickten und Marco Polo seine berühmte Reise unternahm, ist uns kein Bericht über eine direkte Verbindung zwischen dem Westen und China überliefert. Doch wurden auch im Laufe dieser Periode Waren und technische Kenntisse ausgetauscht. Vor allem aber kam auf diesen Handelswegen fremdes Gedankengut ins Land, verbreiteten sich Religionen wie der Nestorianismus, der Manichäismus, der Zoroastrismus und besonders der Buddhismus. Unsere Kenntnisse über die Seidenstraße, zumindest über den Teil zwischen Indien und China, verdanken wir vornehmlich buddhistischen Pilgern.

Wir wissen wenig über das Kommen und Gehen derer, die den Buddhismus in China einführten oder derer, die aus Indien oder Zentralasien, meist über Turkestan, einwanderten und als erste buddhistische Texte aus dem Sanskrit ins Chinesische übertrugen. Unter der Regierung des Han-Kaisers Ming im 1. Jh. n.Chr. werden zum ersten Mal Missionare vermeldet; es handelt sich um Kasyapa Matanga und Dharmarathna, die eine chinesische Gesandtschaft aus dem Yuezhi-Land mitgebracht haben soll. Doch der erste von der Überlieferung erwähnte bedeutende Übersetzer ist ein Parther, An Shigao. Er kam im Jahr 148 nach Luoyang. Tatsächlich sind die meisten Übersetzer der ersten nachchristlichen Jahrhunderte nicht ausschließlich Inder, sondern auch Indo-Skythen wie Lokaksema, Sogden wie Kang Ju oder Kang Mengxiang, die mit An Shigao zusammenarbeiteten, aber auch Kutschaner wie Bo Yan oder Khotaner wie Moksala. Eine genauere Kenntnis der eingeschlagenen Reisewege und der zur Rast aufgesuchten Stützpunkte verdanken wir den Berichten, die chinesische Pilger uns von ihren Reisen nach Indien hinterlassen haben.

## Die großen Reisenden

Der erste große Reisende war der Mönch Faxian, der sich zwischen den Jahren 399 und 414 nach Indien begab. Von Chang'an aus zog er mit vier weiteren Mönchen nach Dunhuang, durchwanderte Shanshan (Loulan), Yutian (Khotan), Zihe (Karghalik), überquerte die Congling-Berge (Pamir) und gelangte nach Yuhui (Tashkurgan). Seine weitere Wegstrecke ist ungewiß. An einem Ort, der Qiecha genannt wird (den Chavannes für Kashgar, andere wiederum

*Die Karawanen konnten gleichzeitig aus Kamelen, Pferden und Eseln zusammengesetzt sein, wie das Fragment eines Wandgemäldes* (rechte Seite) *beweist: Es zeigt den Berg der Fünf Terrassen, Wutai shan, aus der Höhle 61 von Dunhuang.*

Im Sandfluß gibt es bösartige Dämonen in großer Zahl, und Winde, die so heiß sind, daß jeder, der ihnen ausgesetzt ist, stirbt und ihnen keiner entkommt. In der Höhe fliegt kein Vogel, und unten läuft kein Tier. Wohin man blickt und so weit man sehen kann, findet man keinen Durchlaß und weiß nicht, wozu man sich entschließen soll. Es gibt nur die Gebeine der Toten, an denen man sich orientieren kann.

*Gaoseng Faxian zhuan (Foguo ji) »Bericht über die buddhistischen Königreiche«*

für Iskardu halten), machte er halt und drang dann über die »Schneeberge« nach Nordindien vor. Nach den Aufenthalten in den Königreichen Uddiyana und Gandhara zog er durch das Tal des Ganges und besuchte die dortigen Zentren des Buddhismus. Drei Jahre verbrachte er in Pataliputra, dann noch zwei Jahre in Tamralipti, bevor er sich nach Ceylon einschiffte und über Java nach China zurückkehrte.

In der gleichen Epoche reisten aber auch andere Mönche nach Indien. Zhimeng, zwischen 404 und 424, verfolgte auf dem Hinweg die gleiche Route wie Faxian, kehrte aber auf dem Landwege zurück. Im Jahr 420 machte sich Fayong mit zwanzig anderen Mönchen auf. Er benutzte die Route nördlich des Tarimbeckens, über Turfan, Kutcha, Kashgar, und kehrte nach einem Aufenthalt in Indien auf dem Seewege nach China zurück. Ein Jahrhundert später, zwischen 518 und 522, begab sich Song Yun nach Gandhara, und zwar über die Südroute, die auch Faxian eingeschlagen hatte.

Hervorzuheben unter den Pilgern ist jedoch Xuanzang (602−664), einer der größten Übersetzer buddhistischer Texte, der mehr als fünfzehn Jahre lang durch Indien und Zentralasien reiste. Der in den Schriften heroisierte Xuanzang soll hervorragende Lehrmeister gehabt und seine Mitschüler durch sein Wissen erstaunt haben. Er war bereits eine bekannte Persönlichkeit, als er sich aufmachte, in Indien an Ort und Stelle nach den Quellen jener in China bereits verfügbaren Texte, die große Abweichungen aufwiesen, zu suchen. Im Jahre 629 machte er sich auf den Weg. Da es im damaligen China jedermann verboten war, die Landesgrenzen ohne Genehmigung zu verlassen, wurde auch Xuanzang zunächst die Ausreise verweigert. Daher schlug er allein und heimlich die Route nördlich des Tarimbeckens ein. Nachdem er den Engpaß des Jadetorpasses, Yumenguan, hinter sich hatte, wurde er, als er an einem Signalturm vorbeikam, angehalten, doch durfte er dank großer Überredungskunst seinen Weg fortsetzen. Unter großer Mühe kämpfte er sich durch den »Fließenden Sand« und gelangte nach Yiwu (Hami). Anschließend zog er durch Gaochang (Turfan), wo ihm der König einen prunkvollen Empfang bereitete. Für seinen weiteren Weg bekam er eine Eskorte, Ausrüstung, Seidengewebe und Münzen sowie Empfehlungsschreiben mit. So kam er zunächst nach Yanqi (Karashar), dann nach Quizhi (Kutcha). Von dort aus zog er mit Dienstboten, Pferden und Kamelen weiter und machte sich über den Bedel-Paß an die Überquerung der Ling-Berge, d.h. den Tianshan. Mehr als zehn seiner Gefährten sowie Pferde und Rinder starben auf dieser Etappe an Unterkühlung. Er erreichte den Qingchi-See (Issikul) mit seinem Salzwasser und der grünlich-schwarzen Färbung. In Suye (Tokmak) begegnete er dem Khan der Türken, zog weiter westlich durch das »Land der Tausend Quellen« und kam durch Daluosi (Talas), Zheshi (Taschkent) und Samojian (Samarkand), dessen Bewohner dem Feuerkult, d.h. dem Zoroastrismus, huldigten. Anschließend begab sich Xuanzang nach Duheluo (Tukhara), nachdem er das »Eiserne Tor« durchschritten hatte: in einer engen Schlucht war eine zweiflügelige Tür angebracht, an der eiserne Glöckchen hingen. Um nach Bohe (Balkh) zu gelangen, mußte Xuanzang leicht von seiner Route abweichen. Dort konnte er die Reliquien des Buddha, dessen Waschschale, einen seiner Zähne und seinen Besen betrachten. Anschließend überquerte er die furchterregenden »Schneeberge«, den Hindukusch, und gelangte nach Fanyanna (Bamiyan), wo die in den Felsen gehauenen Riesenstatuen des

Dann trat er in die Sandwüste ein; und, indem er seine Schritte über die Knochenhügel und die Kothaufen von Pferden, die er in der Ferne bemerkte, hinweglenkte, zog er eine Zeitlang schwerfällig und mühsam dahin. Plötzlich gewahrte er mehrere Hundertschaften Bewaffneter, die die Ebene zu bedecken schienen. Bald sah er sie marschieren, dann wieder stehenbleiben. Alle Soldaten waren mit Filzstoffen und Pelzen bekleidet. Hier erschienen reich ausgerüstete Kamele und Pferde; dort funkelnde Lanzen und glitzernde Banner. Bald waren es neue Formen, neue Figuren, und jeden Augenblick bot diese bewegliche Bühne der Reihe nach tausenderlei Verwandlungen. Er schaut in die Ferne, so weit sein Blick zu reichen vermag; doch kaum glaubt er sich ganz nahe, verflüchtigen sie sich.

Auf den ersten Blick hatte der Meister des Gesetzes eine Vielzahl Briganten zu erkennen geglaubt; doch als er sie verschwinden sah, im gleichen Augenblick, da er sie in seiner Nähe wähnte, erkannte er, daß es falsche Vorspiegelungen waren, von Dämonen hervorgezaubert.

*Huili und Yanzong, Biographie des Xuanzang, 1 (nach der Übers. v. S. Julien)*

*Immer wieder wurde er dargestellt, der Reisende par excellence, der Mönch Xuanzang mit seiner Buchtrage voller buddhistischer Texte und Bilder auf dem Rücken.*

261

*Darstellungen von Wandermönchen in Begleitung eines Tigers wurden oftmals für Abbildungen Xuanzangs gehalten, trotz des eindeutig »fremdländischen« Aussehens der Figur. Wie dem auch sei, diese reisenden Mönche auf der Suche nach buddhistischen Texten scheinen auf ihren Wegen den Schutz des tathagatha Baosheng genossen zu haben.*

Buddha seine Bewunderung erregten. Von dort aus zog er weiter nach Jinbishf (Kapisa, d.h. Begram) und gelangte schließlich nach Lampaka in Nordindien und nach Gandhara und Uddiyana. Er besuchte die großen buddhistischen Kultstätten des Ganges-Tals, bevor er sich weiter südlich in dravidisches Land vorwagte. Anschließend wandte er sich erneut nach Norden und erklomm auch auf dem Rückweg nochmals unter großen Mühen den Hindukusch: »Zu diesem Zeitpunkt verblieben nurmehr sieben Mönche, zwanzig Dienstboten, ein Elefant, zehn Esel und vier Pferde.«

Er erreichte schließlich Qiepantuo (Khavandha) im Raume Tashkurgan und schloß sich dort einer Gruppe von Händlern an, um nach *Qiasha* (Kashgar) zu gelangen. Auf offener Strecke wurden sie von Wegelagerern überfallen und ausgeplündert. Von hier aus schlug Xuanzang die Südroute ein, die uns bereits bekannt ist: über Zhuojujia (Karghalik), Jusadanna (Khotan), Nirang (Niya), Zhemoduona (Jumo, Cherchen), Nafubo (Loulan) und Shazhou (Dunhuang). Von Shazhou aus richtete er wegen seiner unerlaubten Reise ein Bittgesuch an den Kaiser, der ihn daraufhin mit großen Ehren in der Hauptstadt willkommen hieß. Xuanzang führte Reliquien, Statuen und eine große Anzahl heiliger buddhistischer Texte, etwa 650 Werke, mit sich, obwohl er auf dem Rückwege viele Bücher eingebüßt hatte, als der mit ihnen beladene Elefant ertrunken war. Doch in Kutcha und Kashgar hatte er sich andere besorgt. Die Werke, die er in die Hauptstadt mitbrachte, wurden von zwanzig Pferden transportiert.

Bis zu seinem Tode machte Xuanzang es sich zur Pflicht, diese Texte zu übersetzen. Er baute einen beachtlichen Mitarbeiterstab auf, mit dem er eine Übersetzungsmethode erarbeitete, die textgetreuer und schematischer war als alle früheren Versuche. Einen Teil seiner Zeit verwandte er auch auf die Abfassung seiner »Beschreibung der Westländer«, *Xiyu ji.* Auch andere Pilger schlugen im 7. und 8. Jahrhundert den Weg nach Indien ein. Wukong, zwischen 751 und 790, benutzte vermutlich die Südroute; hervorzuheben aber ist Yijing, ebenfalls ein großer Übersetzer, der zwischen 671 und 695, allerdings per Schiff, nach Indien reiste. Zweifellos gab es bis zum 10. Jahrhundert noch viele andere, doch von ihren Reisen ist uns nichts überliefert.

Über einen langen Zeitraum hinweg gibt es nun keine Reiseberichte, mit Ausnahme jenes »Berichts über China und Indien«, den man zeitweise einem gewissen Händler Solaiman zuschrieb. Informationen anderer Reisender lassen den Schluß zu, daß dieser Bericht (obwohl die Araber meist den Seeweg benutzten) im 9. Jahrhundert erstellt worden ist. Erst im 13. Jahrhundert erhalten wir neue Auskünfte durch Reiseberichte.

Zu dieser Zeit gelangte durch Dschingis-Khan (1167–1227), der die Nomadenvölker unter seiner Herrschaft geeint hatte, und durch die Eroberungszüge der Mongolen bis nach Rußland, die alte Seidenstraße über Land zu neuer Bedeutung. Schon seit längerem, vor allem, was den Handel mit den Arabern anbetraf, hatte die Landroute ihre Anziehungskraft eingebüßt.

Diplomatische, religiöse und wirtschaftliche Beweggründe führten die Reisenden aus dem Westen auf die Route nach China. Die Seide ist nicht mehr das einzig erstrebenswerte Ziel auf dieser Handelsstraße. Den Päpsten und Königen, vor allem Ludwig IX. ging es darum, Beziehungen mit den Mongolen herzustellen, um sie einerseits zu missionieren, andererseits aber auch als Verbündete gegen die Moslems zu gewinnen.

Im Jahre 1245 schickte Papst Innozenz IV. vier Gesandtschaften in den Orient. Mit einer Botschaft des Papstes gelangte von Lyon aus Johann von Plano Carpini in fünfzehn Monaten nach Karakorum im Orkhon-Tal. In seiner »Geschichte der Mongolen« nennt er seine Reiseroute: Prag, Breslau, Krakau, Kiew, Kanew, von dort aus am Nordufer des Kaspischen Meers und des Aralsees entlang durch die Syr-Darya-, Zhu- und Ili-Täler, quer durch die Dschungarei und über das Altai-Massiv. Im Jahre 1247 war er zurück. Kurz darauf entsendet Ludwig IX. seinerseits André de Longjumeau bis in die Mongolei. Dieser beginnt seine Reise 1249 in Nikosia auf der Insel Zypern und kehrt 1251 zurück, doch von seiner Mission weiß man nichts. Zwei Jahre später reist von Konstantinopel aus Wilhelm von Rubruck, Franziskaner wie Plano Carpini,

ebenfalls über die Krim nach Karakorum (zwischen 1253 und 1255).

Ein wenig später wurden sogar Missionsbischöfe in China eingesetzt, so z.B. Johannes von Monte Corvino (1247–1328). Er machte sich im Jahre 1289 nach China auf, zunächst auf dem Landwege über Anatolien und den Kaukasus, dann auf dem Wasserweg von Ormuz aus, mit Zwischenlandung in Indien. Doch er hatte keinen Nachfolger. Zwischen 1315 und 1330 begab sich, ebenfalls überwiegend auf dem Seewege, noch ein weiterer Franziskaner, Oderich von Pordenone, nach China.

Dieser Berg (der Eisberg) ist sehr gefährlich. Sein Gipfel reicht bis zum Himmel. Seit Anbeginn der Welt hat sich der Schnee dort angehäuft und sich in Eisblöcke verwandelt, die weder im Frühling noch im Sommer schmelzen. Harte und glitzernde Flächen entrollen sich bis ins Unendliche und verschmelzen mit den Wolken. Lenkt man seine Blicke dorthin, ist man geblendet von ihrem Glanz. Man trifft auf vereiste Bergspitzen, die sich quer über die Seiten der Straße senken und von denen die einen bis zu hundert Fuß hoch und die anderen etliche Dutzend Fuß breit sind. Daher kann man diese nicht mühelos überqueren und die anderen nicht gefahrlos ersteigen. Erwähnen muß man dann noch die Windböen und Schneegestöber, die einen unentwegt überfallen; so daß man selbst mit gefütterten Schuhen und pelzgefütterter Kleidung nicht anders kann, als vor Kälte zu zittern. Wenn man schlafen oder essen möchte, findet man keinen Ort, an dem man sich ausruhen könnte. Es bleibt einem nichts anderes, als den Kessel aufzuhängen, um seine Nahrung zu bereiten und Matten auf das Eis zu legen, um zu schlafen.

*Huili und Yanzong, Biographie des Xuanzang, 2 (nach der Übers. v. S Julien)*

*Als Xuanzang nach mehr als fünfzehnjähriger Reise nach China zurückkehrte, brachte er Hunderte buddhistischer Werke aus Indien mit. Sein Tragtier war ein Elefant. Oben: Karawane mit einem weißen Elefanten, Illustration eines Abschnitts der Lotossutra, in der Höhle 103 von Dunhuang.*

Abgesehen von diesen Vorstößen der Ordensleute, die eigentlich wenig fruchtbringend waren, wenn man bedenkt, daß die Jesuiten, die im 16. Jahrhundert nach China kamen, nichts mehr darüber wußten, wurden die Reiserouten Asiens nur von Händlern bereist. Die berühmtesten waren natürlich die Polo. Zwischen 1261 und 1265 starten Maffeo und Nicolò Polo vom venezianischen Handelskontor Sudak auf der Krim aus zum Hofe des Großkhan Kublai. Die Angaben zu ihrer Reiseroute, die Marco Polo in seiner »Beschreibung der Welt« gibt, sind recht ungenau. Wie es scheint, zogen sie durch Sarai, die Hauptstadt der Goldenen Horde, nicht weit entfernt vom heutigen Wolgograd, und gelangten von dort nach Buchara und Karakorum. Über die Gründe, die Maffeo und Nicolò Polo zu dieser Reise bewegten, fehlen uns genauere Aufschlüsse. Kaum mehr ist auch über die Motive der zweiten Reise im Jahre 1271 bekannt, an der auch Marco teilnahm. In der »Beschreibung der Welt« wird keinerlei Handelsgeschäft erwähnt. Die drei Reisenden trugen wohl eher päpstliche Sendschreiben an Kublai mit sich, sowie Öl von der Lampe am Heiligen Grab. Nach Aufenthalten in Akra und Laias, im Süden Kleinasiens, brachen die Polos nach Khanbalik (Peking), der neuen Residenzstadt Kublais, auf. Es ist schwierig, ihren Weg zu verfolgen, da Marco Polo in seinem Bericht sowohl die Orte, durch die er selbst gezogen ist, erwähnt als auch Nachbarorte, die er nur vom Hörensagen kannte. Wahrscheinlich ist er durch Erzurum, Täbris, und dann durch die Region des »Trockenen Baumes« südlich des Kaspischen Meers (Khorassan?) gekommen und hat sich dann nach Balkh und anschließend nach Kashgar, Yarkand, Khotan, Lob (Charklik?), Suzhou (Jiuquan), Ganzhou (Zhangye), Ezina (Karakhoto), Ergiuul (Liangzhou) gewandt. Sechzehn Jahre sollte er in China im Dienste der mongolischen Verwaltung bleiben und erst 1295 auf dem Seewege nach Venedig zurückkehren.

In umgekehrter Richtung reisten zur gleichen Zeit zwei nestorianische Mönche, die in China geboren, aber türkisch-mongolischer Herkunft waren und beschlossen hatten, die heiligen Stätten in Jerusalem aufzusuchen. Kublai, dessen Mutter Nestorianerin war, hatte ihnen Instruktionen mitgegeben. So verließen Rabban bar Sauma und Marqus um 1278 Khanbalik. Sie führten Kleidungsstücke mit sich, die sie in den Jordan tauchen und auf das Heilige Grab legen sollten. Ihre Reise führte sie durch Koshang, nord-östlich der Biegung des Gelben Flusses, dann durch die Hauptstadt der Tanguten (Ningxia), Khotan, Kashgar, Talas und nach Khorassan und Maragha. Von dort aus wandten sie sich gen Bagdad, Mossul, Nisibe, Arbela und dann auf Ani in Armenien und auf Georgien zu, um Jerusalem auf dem Seewege anzusteuern. Doch da die Routen unpassierbar waren, kehrten sie um. So kam es, daß Marqus nestorianischer Patriarch mit dem Namen Mar Yaballaha III. wurde und daß man Rabban bar Sauma zum Generalvisitator ernannte. Der über Persien regierende Khan Arghun schickte ihn später, im Jahre 1287, nach Rom und anschließend nach Paris. Dort sollte er Philipp dem Schönen ein Sendschreiben übergeben und dann in die Gascogne weiterreisen, wo er mit dem König von England zusammentraf, bevor er nach Persien zurückkehrte. Dank all dieser Reiseberichte vermögen wir uns eine Vorstellung vom regen Verkehr auf der Seidenstraße zu machen. Sie erschließen uns das weitverzweigte Straßennetz nicht nur durch die Jahrhunderte, sondern auch innerhalb ein und derselben Epoche, und verdeutlichen somit das geschäftige Trei-

*Der Franziskanermönch Wilhelm von Rubruck, der als Gesandter des Königs Ludwig IX. von Frankreich an den Hof des Großen Khan geschickt wurde, trat seine Reise in Konstantinopel an und reiste zwischen 1253 und 1255 auf dem Landweg nach Karakorum. Nach einer Reise von 17000 Kilometern kehrte er anschließend nach Europa zurück.*

ben. Sie gewähren auch Ausblicke auf die zahllosen Reisenden, die keine Berichte hinterlassen haben.

Diese Periode regen Verkehrs zwischen Europa und China im 13. und 14. Jahrhundert ist beendet, als 1368 der erste Herrscher der Ming-Dynastie in China sein Amt antritt; und das sollte mehrere Jahrhunderte hindurch so bleiben. In späterer Zeit werden die Beziehungen fast ausschließlich auf dem Seewege abgewickelt. Das gilt zum Beispiel für die Reisen der meisten jesuitischen Missionare im 16. und 17. Jahrhundert. Eine Ausnahme bildet Benedict de Goëz, der zwischen 1603 und 1605 auf dem Landwege von Indien nach China reist, und zwar über Kabul, Kashgar, Aksu, Kutcha, Turfan, Hami und Suzhou, wo er 1607 stirbt, ohne bis nach Peking gelangt zu sein. Die anderen Reisenden, die ebenfalls den Landweg benutzen, sind zumeist Perser.

## Die Handelswege

Reiseberichte wurden vor allem von Gesandten oder Pilgern verfaßt. Händler schreiben nichts nieder — Marco Polo stellt eine Ausnahme dar. Es scheint sogar, daß die Kaufleute mit Vorliebe Ziele und Bedingungen ihrer Geschäftsreisen verschleierten; dies gilt zumindest für die italienischen Handelsreisenden des 13. Jahrhunderts, über die wir recht gut informiert sind. Ein Glücksfall ist das »Handbuch für den Kaufmann«, *La Pratica della mercatura* des Francesco Pegolotti, verfaßt um 1340. Diese Schrift gibt Aufschluß über die Handelsgepflogenheiten zu Beginn des 14. Jahrhunderts, insbesondere in Asien.

Das Handbuch liefert zunächst eine sehr genaue Wegbeschreibung: Von Tana am Asowschen Meer aus gelangt man mit einem Ochsengespann in fünfundzwanzig, und mit einem Pferdegespann in zehn oder zwölf Tagen nach Gittarchan (Astrachan). Per Schiff ist man dann in einem Tag in Sarai an der Wolga und in weiteren acht Tagen in Saracando (Saraichik am Ural?). Diese Strecke kann auch auf dem Landweg zurückgelegt werden, doch sind die Kosten für den Warentransport per Schiff geringer. Anschließend muß man zwanzig Tage für den Weg bis Organci (Urgenj) am Amu-Darya, südlich des Aral-Sees rechnen, wenn Kamele die Wagen ziehen. Von Urgenj, dem bedeutenden und für seine Organdi-Stoffe berühmten Handels- und Karawanenstützpunkt aus, reist man wiederum mit Kamelgespannen nach Oltrarre (Otrar, nordwestlich von Taschkent). Diese Strecke nimmt fünfunddreißig bis vierzig Tage in Anspruch. Führt man keine Waren mit sich, kann man in nur fünfzig Tagen direkt von Saracando nach Oltrarre gelangen. Von Oltrarre bis Amalecco, nicht weit von Yining im Ili-Tal entfernt, braucht man, da die Strecke nur mit Packeseln zu bewältigen ist, fünfundvierzig Tage. Von dort bis Campicion (Ganzhou, das heutige Jiuquan) benötigt man mit Eseln nochmals siebzig Tage und von dort bis Quinsay (Hangzhou) mit einem Reitpferd weitere fünfundvierzig Tage. Dort kann man das mitgebrachte Silbergeld gegen Papiergeld eintauschen. Von Quinsay bis Gamalecco (Khanbalik, d.h. Peking) sind es dann noch dreißig Reisetage.

Pegolotti beschreibt auch die Reisebedingungen: in Tana muß man sich gleich einen guten Dolmetscher und zwei Dienstboten, die kumanisch (türkisch-mongolischer Dialekt) sprechen, besorgen; an Vorräten sollte man hauptsächlich Mehl und gesalzenen Fisch mitnehmen. Alles übrige erhält man unterwegs an Ort und Stelle. Für die Reise nach China mit einem Dolmet-

*Inbegriff des Reisenden auf der Seidenstraße: Marco Polo (1254–1324), der zwischen 1271 und 1295 seinen Vater und seinen Onkel auf ihrer zweiten Reise bis China begleitete. Er verweilte dort über fünfzehn Jahre, bevor er auf dem Seeweg heimkehrte.*

*Das 1340 verfaßte Wirtschafts-
handbuch von Francesco Pegolotti,* La pratica della Mercatura,
*beschreibt sehr detailliert die
Reiseroute der italienischen
Kaufleute zu Beginn des
14. Jahrhunderts. Der Transport
der Waren vom Asowschen Meer
nach Khanbalik (Peking) dauerte 285 bis 295 Tage. Die
Hauptetappen einer solchen
Reise: Von Tana (am Asowschen
Meer) nach Gittarchan (Astrachan): 25 Tage mit einem Och-*

scher, zwei Dienern und Waren im Werte von fünfundzwanzigtausend Fiorini d'oro (Goldgulden) entstehen Wegegelder in Höhe von sechzig bis achtzig Somi d'argento (Silbermünzen – d.g. weniger als tausend Fiorini d'oro). Auf der Rückreise belaufen sich die Kosten auf höchstens rund fünf Somi d'argento pro Tragtier. Ein Ochsengespann vermag etwa zehn Genueser Cantari, d.h. vierhundertsiebzig Kilogramm zu transportieren; ein von drei Kamelen gezogener Wagen befördert dreißig Cantari, also 1400 kg. Die mit einem Pferd bespannten Wagen können nur sechseinhalb Cantari (305 kg) Seide mitführen.

Die Strecke ist angeblich Tag und Nacht absolut sicher. Eine Ausnahme bildet vielleicht das Wegstück zwischen Tana und Sarai, doch es genügt schon, in

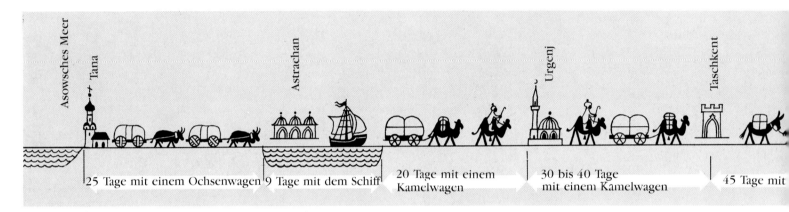

25 Tage mit einem Ochsenwagen | 9 Tage mit dem Schiff | 20 Tage mit einem Kamelwagen | 30 bis 40 Tage mit einem Kamelwagen | 45 Tage mit

*senwagen oder 10 bis 12 Tage
mit einem Pferdewagen.*

*Von Astrachan nach Sarai an
der Wolga: einen Tag mit dem
Schiff. Nach acht weiteren Tagen
erreicht man Saracando (Saraichik am Ural?).*

*Von dort aus sind es 20 Tage mit
Kamelwagen bis nach Organci
(Urgenj) am Amu-Darya, südlich des Aral-Sees. Nach 35 bis
40 weiteren Tagen gelangt man
nach Oltrarre (Otrar, nordwestlich von Taschkent). Von
Oltrarre nach Campicion (dem
heutigen Jiuquan) über Amalecco, in der Nähe von Yining
im Ili-Tal, benötigt man insge-*

einer größeren Gruppe zu reisen. Am besten nimmt man von Anfang an Lein-wand mit, um sie in Urgenj gegen Papiergeld zu tauschen. Von China bringt man dann Seiden mit zurück. All die in seinem Handbuch enthaltenen Einzel-heiten hatte Pegolotti von anderen Kaufleuten, da er selbst nie bis China gereist ist.

Später, zu Beginn des 17. Jahrhunderts, schloß sich der Missionar Benedict de Goëz auf seiner Suche nach Cathay in der Verkleidung eines armenischen Kaufmanns einem Händlerkonvoi an, um nach China zu gelangen. Matteo Ricci und Nicolas Trigault liefern in ihrer 1616 erschienenen »Geschichte der christlichen Expedition ins Königreich China« einige Aufschlüsse über seine Reise und die Karawanen. Diese zogen nur einmal jährlich zwischen Lahore und Kashgar hin und zurück. Rund fünfhundert Personen machten sich mit Pferden, Kamelen und Wagen gemeinsam auf. Da die Wege nicht sehr sicher waren, reiste man häufig bei Nacht. Benedict de Goëz büßte während der Reise bis Kashgar rund ein Dutzend Pferde ein, teils durch Räuber, teils aber auch durch Erschöpfung und schlechte Wegstrecken. Die erste Karawane zog nur bis Kashgar. Dort wurde für die Reise bis China eine neue zusammenge-stellt. Es ergibt sich nicht einmal immer eine Karawane pro Jahr, da man erst sicher sein mußte, bis China und dann auch bis zur Hauptstadt vordringen zu können. Denn zur Zeit der Ming-Dynastie, als Goëz seine Reise unternahm, schienen tatsächlich nur Ausländer, die sich als Gesandte ausweisen konnten, in China Einlaß zu finden. Daher gaben sich Kaufleute als Gesandte aus und überreichten den chinesischen Behörden einen Teil der mitgeführten Ware als Gastgeschenk für den Kaiser. Dies berichtet zumindest Sayyid Ali Khitayi, ein Kaufmann aus dem Raume Buchara, in seinem Traktat über China, *Khitay--nameh.* Zwei von zehn Händlern wurden bis Peking vorgelassen, die ande-

ren mußten in Ganzhou die Rückkehr ihrer Kollegen abwarten. Alle erhielten jedoch von den chinesischen Behörden Kost und Logis. Die zu offiziellen Gesandten avancierten Händler machten auf chinesischem Territorium in den Poststationen Rast, wo sie Pferde und Wagen, Unterkunft und Verpflegung vorfanden. Diese Relaisstationen dienten auch und wohl vorwiegend den Kurieren, die kaiserliche Order von Ort zu Ort brachten. Diese Organisation hatte bereits ein Jahrhundert zuvor Ghiyath ed-din, Gesandter von Shahrokh, Sohn und Nachfolger Tamerlans, in seinem Reisetagebuch besonders hervorgehoben.

Die Transportmittel sind, wie wir schon bei Pegolotti sahen, entlang dieser Karawanenstraßen vielfältig, so daß der Händler seine Waren je nach Bedarf

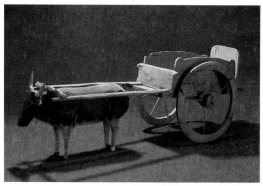

samt 115 Tage mit Lasteseln. Um nach Quinsay (Hangzhou) und schließlich nach Gamalecco (Khanbalik, d.h. Peking) zu gelangen, braucht man 75 weitere Reisetage zu Pferde.

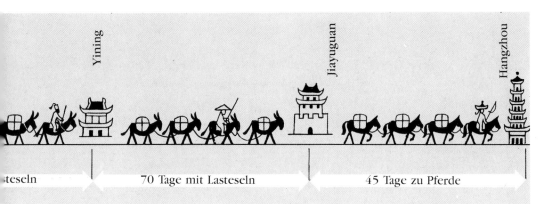

70 Tage mit Lasteseln    45 Tage zu Pferde

umladen kann: es stehen ihm von Ochsen, Pferden oder Kamelen gezogene Wagen oder Esel bzw. Pferde als Packtiere zur Verfügung. Für seine eigene Beförderung kann er zwischen Pferd, Esel oder einem beliebigen Reittier auswählen. Man darf auch nicht außer acht lassen, daß die Waren fast niemals vom Ausgangs- bis zum Zielort von denselben Händlern befördert werden. In den großen Karawanenzentren werden Geschäfte abgewickelt, und jede Karawane legt häufig nur ein Teilstück der Gesamtstrecke zurück.

Das gerittene oder eingespannte Pferd ist entlang der gesamten Seidenstraße das bevorzugte Transportmittel. Fortschritte gab es bei den Transportmethoden: als die Verwendung des Steigbügels, vor allem aber Hals- und Brustgeschirr in Europa bekannt wurden, war dies eine große Erleichterung für die Beförderung von Personen und Waren. Den Pferden wurde, obwohl sie zum alltäglichen Bild gehörten, von seiten der Chinesen außerdem stets besondere Aufmerksamkeit zuteil, fast so wie unter den Han. Bei Marco Polo finden sie mehrmals gesondert Erwähnung, vor allem die wegen ihrer Schnelligkeit berühmten Pferde aus Badak shan, die keiner Eisen bedürfen. Bekannt ist auch die Geschichte jenes Pferdes, das der päpstliche Legat Johannes von Marignolli 1342 aus Italien mitbrachte und dem Kaiser des Mongolenreichs zum Geschenk machte. Dieses große Pferd wurde so hoch geschätzt, daß man ein Porträt von ihm anfertigen ließ.

Auch der Esel hatte seine Vorzüge; er war weniger empfindlich, widerstandsfähiger und anspruchsloser als das Pferd, aber eben langsamer. Wieder ist es Marco Polo, der die Esel, die er in Persien gesehen hat, als besonders schnell, besonders ausdauernd, außerordentlich wach und überaus genügsam schildert, die so brav alle Lasten tragen, daß sie teurer verkauft werden als Pferde.

Transportmittel gab es viele, je nach zu befördernder Ware, aber auch je nach Klima und Bodenbeschaffenheit der Regionen, die man zu durchqueren hatte.

Das Kamel ist selbstverständlich das bevorzugte Transportmittel bei der Durchquerung von Wüstengebieten, vor allem auf Routen ohne große Höhenunterschiede. Es trägt auch schwerere Lasten als ein Pferd, doch legt es wie dieses eine Strecke von mindestens fünfunddreißig Kilometern pro Tag zurück. Zeitweise wird ihm sogar die Fähigkeit, Wasser zu finden, zugesprochen:

»Westlich von Dunhuang durchquert man den ›Fließenden Sand‹; auf mehr als tausend Li gibt es kein Wasser. Es kommt vor, daß die Leute unfähig sind, die unterirdischen Strömungen zu erkennen. Doch wer ein Kamel besteigt, erfährt, wo die Wasseradern verlaufen. Wenn dieses an eine solche Stelle kommt, bleibt es stehen und ist nicht zum Weitergehen zu bewegen;

*Bei zu großer Hitze oder auch um Banditen auszuweichen, reiste man, wenn es der Weg zuließ, oftmals bei Nacht.*

*Aus den Grabstätten der Tang-Dynastie sind uns zahlreiche Grabfigürchen überliefert, Karawanenhändler darstellend. Diese tragen deutlich fremdländische, vermutlich sogdische Züge.*

mit seinem Fuß scharrt es den Boden auf. Wenn der Mensch dort nachgräbt, findet er Wasser« (*Bowu zhi,* zitiert im *Taiping yulan,* 901).

Daß Leihverträge für Kamele bei Reisen im 9. Jahrhundert abgeschlossen wurden, beweisen unter anderem die berühmten *»Dunhuang-Handschriften«.* Diese Verträge wurden nicht mit Handelskarawanen, sondern mit Privatreisenden abgeschlossen. Hier nun der Text (oder besser gesagt, der Entwurf) eines solchen Vertrages:

»Am 22. Tag des ersten Mondes des Jahres *bingwu,* entlieh Song Chong (?), Privatmann aus dem Kreis Hongrun, der eine Reise nach Xishou (Turfan) machen mußte und ein Kamel benötigte, bei X., einem einfachen Privatmann aus demselben Kreis, ein achtjähriges männliches Kamel. Die (Leih-)Gebühr für dieses Kamel wurde auf ein Stück Rohseide (pro Monat, angefangen mit) dem ersten Mond (?) festgesetzt; beim siebten Mond muß er den gesamten Preis abgeliefert haben. Wenn er ihn nicht bis zum vereinbarten Termin abgeliefert hat, werden entsprechend den üblichen Gepflogenheiten Zinsen erhoben. Verletzt sich das Kamel unterwegs oder geht es zugrunde, steht (dem Besitzer) die Leihgebühr zu sowie ein identisches Tier, das der Entleiher zu besorgen hat. Stößt dem Entleiher auf seinen Reisen ein Unglück zu, so wird verlangt, daß sein Sohn X. ein identisches Kamel liefert, abzüglich der Leihgebühr. Wenn das Tier erkrankt und unterwegs verendet, muß dies von drei Reisegefährten bezeugt werden...« (*Pelliot, Chinesische Handschriften 2652*)

Vergessen darf man aber auch nicht die Ochsen als Tragtiere, die zwar langsamer sind als die Pferde, aber schwerere Lasten schleppen können. Marco Polo beispielsweise beschreibt die Ochsen aus dem Raume Reobar im südlichen Iran: sehr große und sehr starke Ochsen, die sich wie Kamele niederlegen, um beladen zu werden. Er beschreibt auch die riesigen Yaks, die er in der Gegend um Xining, in der heutigen Provinz Gansu, gesehen hat und von denen er ein paar außergewöhnlich lange Fellhaare nach Venedig mitbrachte. Mit den von Pferden, Kamelen und Ochsen gezogenen Karren konnte man genau so lange Etappen zurücklegen wie mit den bepackten Lasttieren, nur ging es langsamer mit ihnen. Die Konvois machten täglich in der einen oder anderen an der Straße gelegenen Raststation halt, wo rings um viereckige Höfe Zimmer lagen und die Reisenden Brunnenwasser, Heu, Stroh und Kornfutter sowie Geflügel vorfanden. Manchmal waren diese Stationen nur einfache Unterstände. Die in Städten oder Dörfern gelegenen Karawansereien dienten den Reisenden als Relaisstation und Ort für Transaktionen. Es waren weite viereckige Höfe mit einer umlaufenden Galerie, an der die Zimmer lagen. Dort konnte man alles kaufen, was man benötigte.

*In der Höhle 45 in Dunhuang zeigt eine Wandmalerei aus der Tang-Zeit, im Rahmen der Illustration der Lotussutra, wie ausländische Händler von Räubern, die chinesisches Aussehen haben, überfallen und beraubt werden.*

Dank dieser Konvois konnten Waren von überall her befördert werden. Lange Zeit war die Seide das einzige Reisemotiv westlicher Kaufleute, wenn sie auch nicht mehr einziges Handelsobjekt mit China war, seit im Mittleren Orient und anschließend in Europa selbst die Seidenherstellung Verbreitung gefunden hatte. Im 13. Jahrhundert kam es tatsächlich häufig vor, daß die von Genuesern und Venezianern nach Italien eingeführte Seide nicht aus China, sondern aus Turkestan, Iran oder dem Kaukasus stammte. Im 14. Jahrhundert erzielte chinesische Seide sogar einen geringeren Preis als die aus Turkestan oder dem Kaukasus; eine Seide, die gewiß geringer eingeschätzt wurde,

*Xuanzang erwähnt mehrfach derartige Überfälle. In Nordindien wurde er selbst von rund fünfzig Wegelagerern angegriffen und seiner Kleider und Vorräte beraubt. In der Nähe von Karashar erblickte er die leblosen Körper von einigen Dutzend Händlern, die von Dieben überfallen worden waren.*

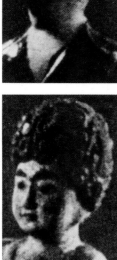

*Die ausländischen Händler, die zur Zeit der Tang-Dynastie nach China kamen, wurden alle unter der Bezeichnung »Barbaren«,* hu, *zusammengefaßt, ohne Berücksichtigung ihrer Herkunft. Ihre Gewänder, ihre Haartracht und ihre Gesichtszüge erregten großes Erstaunen.*

dafür aber in größeren Mengen und vermutlich an Ort und Stelle billiger eingekauft werden konnte. Laut Pegolotti war der Wiederverkaufspreis in Genua dreimal so hoch wie der Einkaufspreis in China. Zieht man die Transportkosten, die etwa auf die Hälfte des Einkaufspreises geschätzt wurden, ab, blieb ein hundertprozentiger Gewinn, sofern man die Anreisekosten außer acht läßt. Daher war es wichtig, nicht mit leeren Händen zu reisen. Wie wir bereits sahen, waren seit alters her die Pferde ein beliebtes Tauschobjekt. Doch auch Textilien wie Leinwand und Wollwaren wurden geschätzt. Ein in den drei Sprachen Lateinisch-Persisch-Kumanisch abgefaßtes Handelsglossar aus dem Jahre 1303 nennt außer den üblichen Handelsbegriffen mehr als zehn Bezeichnungen für Leinwand, mit dem jeweiligen Herkunftsort.

Natürlich führten die Händler, die nach China aufbrachen, auch andere Waren mit, die sie entweder von Anfang an dabei hatten oder unterwegs einkauften: z.B. Ambra oder Kristall wie die Polos. Doch hierbei handelt es sich wohl eher um Geschenke für den Großkhan als um Handelsware, wie seinerzeit unter den Han, als man Schildpatt oder Rhinozeroshorn offerierte. Doch noch viele andere Produkte wurden nach China mitgenommen: zunächst einmal alle Substanzen, die der Arzneimittelherstellung, der Heilkunst und der Ernährungshygiene dienten, bis hin zu Unsterblichkeitsdrogen. Aus Persien und Indien kamen Koriander, Nelken, Sandelholz, Muskat, Kubebenpfeffer, Kardamom, Myrrhe, Rohrzucker, Mastix sowie Kampfer und Aloe, die für den Begräbniskult gebraucht wurden. Alle diese Produkte wurden auf dem Landwege von den Sogdern und dann von den Persern oder auf dem Seewege von den Arabern herbeigeschafft. Zu nennen sind auch Lapislazuli und Indigo, mit denen Augenlider und Brauen gefärbt wurden, sowie Henna als Nagellack, Weihrauchkörner und der geheimnisvolle graue Amber, ein Darmsekret des Pottwals, das in China für Drachenspeichel und im Westen für ein Exkrement gehalten wurde. Der Bergflachs, den man lange für ein Produkt des Pelzes einer Salamanderratte hielt, hatte bereits unter den Han Aufsehen erregt.

Auch Diamanten, Perlen, Korallen und Glas gelangten nach China. Der Diamant fand nicht den gleichen Anklang wie im Westen, da die Chinesen ihn eher als Steinwerkzeug zum Schneiden und Bohren benutzten und somit nicht als Edelstein ansahen. Glaswaren zirkulierten schon seit langem, zunächst vom Römischen Reich und später von der Sogdiane aus. Im 5. Jahrhundert lehrten die Sogder die Chinesen die Herstellung eines Glases, das ebenso glänzte wie das aus den Westländern. Doch wurde dadurch die Einfuhr von Glaswaren eigentlich nicht unterbrochen, zumindest nicht bis zur Erfindung des Porzellans.

Eine Sonderstellung im Tauschhandel zwischen Zentralasien und China nahm die vorwiegend aus dem Raume Khotan stammende Jade ein, die zu allen Zeiten als Ornament und Emblem der Macht geschätzt wurde. So deckte sich auch Benedict de Goëz in Khotan mit Jade ein, um als Händler leichter Einlaß in China zu finden, da »nichts teurer und regelmäßiger gehandelt wurde« als Jade. China seinerseits exportierte ebenfalls nicht nur Seide, wenngleich diese auch das wichtigste Handelsobjekt darstellte. Auch um Moschus einzukaufen, kam man nach China, allerdings häufiger noch nach Tibet. Gewürze, Aromate und Drogen wie Ingwer, Ginseng, Rhabarber, Brustbeere, Kurkuma und Zimt gingen nach Westen, und natürlich wurde Tee geliefert, an die arabischen Länder auf dem Seewege und per Karawane nach Rußland.

Auch technische Errungenschaften sind erwähnenswert, wenngleich sich ihr Weg nur schwerlich verfolgen läßt. Am bekanntesten ist die Papierherstellung. Das Papier, das in China mindestens seit dem ersten Jahrhundert v.Chr. hergestellt wurde und sehr bald schon bis Turkestan hin verbreitet war, fand in der Folgezeit nur recht langsam größere Märkte. Die Araber sollen vom Geheimnis der Papierherstellung anläßlich der Schlacht am Talas-Fluß bei Alma-Ata im Jahre 751 Kenntnis erlangt haben, bevor es dann nach Bagdad und später nach Italien gelangte. Einiges scheint jedoch darauf hinzudeuten, daß man in Samarkand das Papier bereits ein Jahrhundert früher gekannt hat. Gewiß kamen die durch den Handelsverkehr geknüpften Kontakte auch der Verbreitung technischer Errungenschaften wie dieser zugute, wenn dies auch chronologisch nicht leicht nachzuzeichnen ist.

## Die Glaubensrouten

Die Routen, auf denen Waren und technische Kenntnisse zirkulierten, begünstigten auch die Überlieferung und Verbreitung von Gedanken- und Glaubensgut. Der aus Indien stammende Buddhismus ist die ausländische Religion, die China am stärksten geprägt hat, und zwar in einem Maße, das nicht zu vergleichen ist mit Manichäismus, Islam, Zoroastrismus oder Nestorianismus. Der Buddhismus schwärmte zunächst in Richtung Nord-Westen aus und erreichte Zentralasien, insbesondere Baktrien und die Sogdiane. Er verbreitete sich dann entlang der Seidenstraße im Zuge der Händlerkarawanen gen Osten. Gleichzeitig waren die Lehren des Buddhismus auch auf dem Wasserwege bis hin zur Insulinde und nach Südostasien vorgedrungen.

Zur Entfaltung gelangte der Buddhismus vor allem im zentralasiatischen Khotan, wo im Jahre 211 ein erstes Kloster gegründet worden sein soll. Doch wie er dorthin gelangte, erzählt nur die Legende. Der Pilger Xuanzang berichtete, daß ein Heiliger namens Vairocana von Kaschmir nach Khotan kam, wo er den König zur Gründung eines Klosters überredete, in dem der Buddha dann auch erschien. Von nun an befleißigte sich der König, die Lehre des Buddha, und zwar die des »Großen Fahrzeugs«, zu verbreiten. Unbestreitbar ist, daß Dutreuil de Rhins und Grenard 1892 eine Handschrift mit buddhistischen Stanzen in Kharoshthi- oder aramäisch-indischer Schrift entdeckten, die aus dem 2. Jahrhundert n.Chr. zu stammen scheint und beweist, daß es zu jener Zeit in Khotan Anhänger des Buddhismus gegeben hat.

Kaum mehr wissen wir über die Anfänge des Buddhismus in den anderen Oasen Zentralasiens und Xinjiangs. Man möchte annehmen, daß der Buddhismus in Kutcha vom ersten Jahrhundert unserer Zeitrechnung an bekannt war, wenn nicht sogar praktiziert wurde. Doch die relativ exakten Beweisstücke stammen aus einer Zeit, die nicht vor dem 3. Jahrhundert liegt. Anscheinend hatte in Kutcha der Buddhismus des »Kleinen Fahrzeugs« vorgeherrscht, der das Heil des einzelnen verhieß, wohingegen von Khotan aus der des »Großen Fahrzeugs« propagiert wurde, bei dem alle Wesen die letzte Stufe des Erlösungsweges des Buddha erreichen können.

Wann der Buddhismus nach China gelangte, bleibt ein Geheimnis. Folgt man der Überlieferung, so hätte der Han-Kaiser Ming (der von 58–75

*Die buddhistischen Sanskrit-Texte, die Xuanzang mitbrachte, waren auf Latanieblätter geschrieben; in diese waren Löcher gebohrt, damit man sie auffädeln konnte. Anschließend wurden sie auf Papierrollen übertragen und dann ins Chinesische übersetzt.*

regierte) Buddha im Traum gesehen und daraufhin Gesandtschaften zu den Yuezhi (oder nach Indien) geschickt, um über diese Lehre Erkundigungen einzuholen; diese Gesandten hätten buddhistische Mönche sowie Bücher und Statuen mitgebracht. Bücher und Statuen seien dann im neu erbauten Kloster zum Weißen Pferd aufgestellt worden. Doch diese Legende wurde wahrscheinlich erst gegen Ende des 2. Jahrhunderts geschmiedet, und das Kloster zum Weißen Pferd wird erst am Ende des 3. Jahrhunderts bezeugt.

Wenn auch nicht erwiesen ist, daß der Buddhismus tatsächlich vor dem 2. Jahrhundert unserer Zeitrechnung in China Fuß gefaßt hat, so scheinen mehrere Texte doch darauf hinzudeuten, daß er in Ansätzen dort schon vom 1. Jahrhundert an zu finden war. Das läßt sich aus einer Amnestie-Verfügung aus dem Jahre 65 n.Chr. ableiten, in der erwähnt wird, daß dem Buddha wohlwollend geopfert wurde und daß die buddhistische Gemeinde mit Nahrungsmitteln unterstützt wurde. Diese sicherlich aus Leuten fremder Herkunft bestehende Gemeinde hatte sich in Pengcheng, im Norden der heutigen Provinz Jiangsu, niedergelassen. Diese ersten Spuren zeugen von einem mit dem Taoismus vermischten Buddhismus. Der König von Chu, der in den Genuß dieser Amnestie kam, opferte sowohl dem Buddha als auch Huang Lo, dem »Gelben alten Fürst«, dessen Name eine Verschmelzung von Laozi, zur Gottheit erhoben, und Huang Di, dem Gelben Kaiser, dem Schirmherr der Magie, der Drogen und der taoistischen Praktiken, ist.

Der chinesische Buddhismus ist in seiner ersten Phase tatsächlich stark vom Taoismus geprägt, wie auch spezifische Sanskrit-Begriffe durch Entlehnungen aus dem Taoismus wiedergegeben werden. Diese Religion, deren Begriffe so ganz anders waren als die im damaligen China gebräuchlichen, konnte nur erfolgreich sein, wenn sie sich den Anschein des Vertrauten gab. Wenn es ihr auch nicht gelang, die Anhänger des Konfuzianismus, der im China der Han die Vorrangstellung einnahm, zu befriedigen, so vermochte sie trotz fundamentaler Gegensätze den Taoisten zu gefallen. Indem die buddhistischen Missionare eine elementare Morallehre predigten und bei der Unterweisung in Meditationstechniken auf die Erwähnung der wesentlichen Begriffe, die Anstoß hätten erregen können, verzichteten, wurde ihnen ein Erfolg zuteil, der sich immer weiter ausbreitete. Die Lehren und Praktiken, die so viel milder waren als die des Taoismus, mußten einfach verführerisch wirken. Außerdem glaubte man, dieser Buddha sei kein anderer als Laozi, der nach Westen gewandert sei, um den Barbaren seine Lehre zu predigen.

Wie der Buddhismus nach und nach in China Fuß faßte, läßt sich noch zuverlässiger an den Zeremonien, mit denen Kaiser Huan (der von 147–167 regierte) im Jahre 166 dem Buddha huldigte, ablesen und deutlicher noch an der Tatsache, daß ganze Übersetzerstäbe in Luoyang eintrafen. Der bekannteste dieser Übersetzer ist An Shigao, dessen Name an das Land Anxi, d.h. Arsak, erinnert und ihn als Parther ausweist. Die Legende macht aus ihm einen Prinzen, der auf den Thron verzichtete, um Ordensmann zu werden. In Wirklichkeit weiß man von seinem Leben nichts weiter, als daß er im Jahre 148 nach Luoyang kam.

Der von Fremden ins Land getragene Buddhismus verbreitete sich zunächst in den Familien der in China ansässigen Einwanderer wie Händler, Botschafter, Geiseln u.a. Dafür gibt es mehrere Beispiele, wie An Xuan, ein Händler, Parther wie An Shigao, der im Jahre 181 nach Luoyang kam, dort konvertierte und sich der Gemeinde seines Landsmanns anschloß. Anders gelagert ist der Fall bei Zhi Qian (gest. ca. 225); seine Familie war bereits mit der Generation seines Großvaters in China ansässig geworden. Auch der große Übersetzer Dharmaraksha (auf chinesisch Zhu Fahu, gest. 313) wurde um 230 als Sohn einer Yuezhi-Familie bereits in Dunhuang geboren. Ein weiterer Übersetzer des ausgehenden 3. Jahrhunderts war Zhu Shulan, der ebenfalls in China, in Henan, geboren wurde und indischer Abstammung war. Diese Beispiele ließen sich fortsetzen. Umgekehrt wurde die Verbreitung des Buddhismus vielleicht auch von jenen Chinesen gefördert, die als Zivilbeamte oder Militärs in Zentralasien tätig waren. Aber darüber gibt es keine zuverlässigen Auskünfte.

Die Ausbreitung des Buddhismus in China hat vor allem davon profitiert, daß man in Zentralasien und später in Indien nach den buddhistischen Urtexten forschte. Der erste bekannte Forschungsreisende (der leider keinen Reisebericht hinterlassen hat) war Zhu Shixing. Diesem gefiel die in Luoyang verfügbare Fassung der »Vollkommenheit der Erkenntnis« (*Prajnaparamita*) nicht, und er schickte sich deshalb an, nach dem vollständigen Text zu suchen. Vermutlich im Jahre 260 begab er sich bis Khotan, wo er die vollständige Sanskrit-Fassung kopieren ließ. Diese wurde von einem seiner Schüler zurückgebracht, während er selbst in Khotan blieb, wo er auch starb. In der Folge bürgerte sich ein ständiges Kommen und Gehen von Pilgern ein.

Wie archäologische Ausgrabungen vom Beginn dieses Jahrhunderts nachweisen, hat der Buddhismus entlang der Seidenstraße zahlreiche Spuren hinterlassen. Die in Miran, Niya und Loulan gefundenen und auf das 3. Jahrhundert zu datierenden verfallenen Stupa bezeugen diesen Einfluß. Die mit Skulpturen versehenen oder bemalten Höhlen längs der Routen — in Kizil und Kumtura bei Kutcha, in Bezeklik und Tuyok bei Turfan, in Mogao und Yulin bei Dunhuang, in Bingling si bei Lanzhou sowie in Maiji-shan sind ein deutlicher Beweis dafür, daß der Buddhismus sich bis ins Kernland Chinas durchzusetzen vermochte.

Man hat sich häufig gefragt, warum der Buddhismus sich nicht nach Westen ausbreitete und noch keine stichhaltige Antwort gefunden. Da Händler ihn verbreiteten, hätte er ebensogut den Mittleren Orient und Europa erreichen können, zumindest in Ansätzen, so wie es dem Brahmanismus gelang, der bis zum Römischen Reich vordrang. Das Geheimnis bleibt bestehen.

Auch andere Religionen kamen vom Westen nach dem Osten. Da ist zunächst, weil seine Spuren in China deutlich erkennbar sind, der Nestorianismus zu nennen. Die nestorianische, oder genauer gesagt, die chaldäische Kirche, die sich in Mesopotamien und Persien entwickelt und mit der Westkirche im 5. Jahrhundert gebrochen hatte, verbreitete sich über Zentralasien und gelangte schließlich auch nach China. Wie sie dort Fuß faßte, verrät uns die im Jahre 781 errichtete berühmte Stele von Xi'an. Diese Stele, über die viel geschrieben wurde, war 1623 oder 1625 bei Arbeiten an einem Damm in der Nähe von Xi'an ausgegraben worden. Einst hatte die Hauptstadt der Tang, Chang'an, an der gleichen Stelle gestanden, an der die Stele errichtet worden war. Anfang des 20. Jahrhunderts wurde sie in den Stelen-Hain von Xi'an gebracht. Diese Stele »von der Verbreitung der glorreichen Religion der Da Qin im Reich der Mitte« zeigt auf der Vorderseite einen chinesisch geschriebenen Text zum Dogma und zur Geschichte dieser Religion, darüber den Titel

*Unter den nicht-chinesischen Volksstämmen Zentralasiens wurden einige ebenfalls zum Buddhismus bekehrt. Das gilt für die Tanguten, die auf dem Gebiet der heutigen Provinzen Ningxia und Gansu ein Königreich gründeten. Obige Abbildung zeigt einen Stupa in den Ruinen ihrer Hauptstadt Karakhoto.*

*Die berühmte sogenannte Xi'an fu-Stele, die 781 bei Chang'an errichtet wurde, befindet sich heute im »Stelenhain« von Xi'an. Ihre Inschriften entschlüsseln uns die Geschichte der Einführung des nestorianischen Christentums in das China des 7. Jahrhunderts.*

und ein nestorianisches Kreuz. Unterhalb des Textes und an den Rändern der Stele finden sich aramäische Inschriften, während an den Seitenwänden die Namen der Mitglieder des Klerus in aramäischer und chinesischer Schrift aufgeführt sind. Wie der chinesische Text aussagt, kam 635 ein gewisser Aluoben mit den »Wahren Schriften« nach Chang'an. Kaiser Taizong, der von 627−649 regierte und diese Texte übersetzen hatte lassen, gestattete ihm, seine Lehre zu verbreiten. Im Jahre 638 wurde infolge eines kaiserlichen Erlasses ein »Da Qin-Kloster« errichtet, in das einundzwanzig Mönche einzogen. Der Text besagt ferner, daß unter Gaozongs Regierung (650−683) in allen Präfekturstädten Klöster gegründet wurden. Der Nestorianismus dürfte in der Folgezeit ein wechselvolles Schicksal erlebt haben, bis er im Jahre 845, wie auch der Buddhismus und die anderen Religionen, mit Verbot belegt wurde. Vielleicht wurde die Stele zu diesem Zeitpunkt eingegraben. Weitere Dokumente, die eindeutig aus derselben Zeit stammen, belegen den Nestorianismus in China, z.B. der »Hymnus auf die Dreifaltigkeit«, die chinesische Variante der aramäischen Version des *Gloria in excelsis deo*. Paul Pelliot entdeckte sie 1908 in der Handschriftenhöhle von Mogao bei Dunhuang. Dieses Manuskript (*Pelliot chinois* 3847) läßt sich auf das 8. Jahrhundert datieren. Andere nestorianische Handschriften in chinesischer Sprache, wie die Sutra von Jesus, dem Messias, wurden ebenfalls in Dunhuang gefunden. Die chinesischen Geschichtsquellen geben wenig Aufschluß über die Aktivitäten der Nestorianer. Doch als 845 der Erlaß proklamiert wurde, die buddhistischen und auch die Klöster der anderen Religionen seien zu zerstören, zählten die nestorianischen und zoroastrischen, wie aus dem Text des kaiserlichen Edikts zu schließen ist, mehr als dreitausend Personen. Diese Zahl erreicht trotz allem noch längst nicht die der 260 500 buddhistischen Mönche und Nonnen, die damals in den Laienstand zurückversetzt wurden. In China überlebte der Nestorianismus nicht, doch in Zentralasien hielt er sich. Neuen Aufschwung bekam er nochmals unter der Mongolenherrschaft, da die Umgebung und die Familie Dschingis Khans zu seinen Anhängern zählte und Kublai Khan ihn protegierte und förderte.

Als 845 der Nestorianismus verboten wurde, betraf das auch den Zoroastrismus oder Mazdaismus. Der Zoroastrismus, im Iran entstanden und zur offiziellen Religion des sassanidischen Persien erklärt, wurde in China unter dem Namen »Kult des himmlischen Feuergottes« bekannt. Zwar überlebte ihn kein Dokument, doch lassen spärliche Hinweise den Schluß zu, daß auch diese Religion relativ verbreitet war. Unter den Tang wurde sogar ein kaiserliches Verwaltungsbüro mit der Wahrnehmung ihrer Interessen beauftragt, und man weiß auch, daß es in Chang'an und Luoyang, aber auch in Dunhuang Heiligtümer gegeben hat. Jedoch dürften die Lehren und Kulthandlungen des Zoroastrismus dem chinesischen Denken zu fremd gewesen sein, um bereitwillig übernommen zu werden.

Der Manichäismus hingegen, der jüngeren Ursprungs war, erlebte einen gewissen Erfolg. Er gelangte gegen Ende des 6. Jahrhunderts nach China und wurde recht schnell angenommen. Dies ist wohl auf eine geschickte Vermischung buddhistischer und taoistischer Begriffe zurückzuführen, wobei *Laozi* und *Sakyamuni* zu Vorläufern von *Mani* wurden und man der Religion die Bezeichnung »Helle Lehre« verlieh. Im Jahre 731 wurde sogar auf kaiserlichen Befehl ein Katechismus der »Religion des Lichterbuddha Mani« verfaßt,

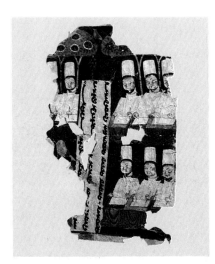

*Auf diesem Fragment eines Blattes aus einem manichäischen Buch, das in Gaochang (Khocho) bei Turfan gefunden wurde und aus dem 8. oder 9. Jahrhundert stammt, sind sieben Auserwählte mit einem Rohrgriffel und einer Schreibvorlage abgebildet.*

von dem zwei einander ergänzende Textfragmente unter den Handschriften von Dunhuang gefunden wurden: das eine befindet sich in London (*Stein* 3969) und das andere in Paris (*Pelliot chinois* 3884). Daß die Manichäer den Buddha für sich beanspruchten, wurde unverzüglich heftigst kritisiert, doch untersagte man es den in China lebenden Fremden nicht, ihre Religion auszuüben. Aber 843 war der Manichäismus die erste Religion, die mit Verbot belegt wurde. Mehr oder weniger unterschwellig hatte diese Glaubensrichtung bis zum 14. Jahrhundert immer wieder Zulauf. Zu Ansehen gelangte sie vor allem bei den Turkvölkern, wo sie im Jahre 763 zur Staatsreligion des in der Mongolei und in Chinesisch-Turkestan etablierten Uighuren-Reiches (744–840) erklärt wurde. Hiervon sind uns zahlreiche Spuren überliefert, insbesondere im Raume Turfan, wo man zu Beginn des 20. Jahrhunderts Texte in iranischen Sprachen (unter anderem auch in Sogdisch), in Uighur-Türkisch und in Chinesisch fand. Dort entdeckte man auch mit Malereien illustrierte Handschriften, vor allem in Gaochang (Khocho, Karakhoja).

Auch der Islam eroberte wenig später China. Im 7. Jahrhundert gegründet, verbreitete er sich wie ein Lauffeuer nach Westen und nach Osten. So eroberten die Muslims bereits Mitte des 7. Jahrhunderts Persien, bevor sie in ihrem Vorstoß zur Eroberung Transoxianiens (Raum Taschkent) zu Beginn des 8. Jahrhunderts gebremst wurden. Dies hinderte sie aber nicht, trotzdem bis Kashgar und Turfan vorzudringen. Der chinesische Gegenschlag, dem unter Führung des koreanischen Generals Gao Xianzhi zunächst ein gewisser Erfolg in Turkestan beschieden war, wurde schließlich durch die Schlacht am Talas-Fluß im Jahre 751 doch abgeschmettert. Diese Niederlage läutete den

Rückzug chinesischer Herrschaft über Turkestan und gleichzeitig auch das Zurückweichen der Muslims ein. Dies ist vor allen Dingen darauf zurückzuführen, daß das Regime der Omaijaden-Kalifen ins Wanken geriet und diese Dynastie schließlich stürzte. Es ist möglich, daß der Islam anläßlich der Rebellion An Lushans im Jahre 755 in China Fuß faßte, als die von Arabern begleiteten Uighuren den kaiserlichen Truppen zu Hilfe kamen, um die Rebellion niederzuschlagen. Er verbreitete sich außerordentlich langsam im Norden Chinas und konnte dort erst im Laufe der Zeit seine Stellung festigen. Aber auch in den Süden Chinas und vor allem nach Kanton war der Islam eingedrungen: durch den Seehandel. Der Händler Solaiman bezeugt im 9. Jahrhundert die Anwesenheit eines Vertreters der Muslim-Gemeinde bei den chinesischen Behörden. Daß es ein für die Muslims reserviertes Stadtviertel gab, erwähnt übrigens auch Mitte des 14. Jahrhunderts Ibn Battuta.

*Der Islam drang nur langsam nach China ein, doch hat er sich dort bis heute gehalten; vor allem in Xinjiang, wo er nicht nur äußerst intensiv praktiziert wird, sondern sich noch ausweitet. Zum Freitagnachmittaggebet finden sich in Turfan, in Urumqi, in Kashgar oder wie hier in Khotan zahlreiche, inbrünstig betende Gläubige zusammen.*

*Das Polospiel persischen Ursprungs wurde unter den Sui oder zu Beginn der Tang in China eingeführt. Bei Hofe war ihm sofort großer Erfolg beschieden. Frauen und Männer nahmen daran teil.*

*Die Darstellung geflügelter Pferde – wie in der Grabstätte des Kaisers Qianlong (1736–1795) – ist ein Beweis für wechselseitige künstlerische Beeinflussung zwischen dem Abendland und China. Man kann nicht umhin, an Pegasus zu denken.*

Der Judaismus schließlich war ebenfalls in China bekannt, eingeschleust über die Seidenstraße, wenngleich er nur wenig nachprüfbare Spuren hinterlassen hat. Mit Ausnahme eines kleinen Fragments in hebräischer Schrift, das Pelliot in Dunhuang entdeckte, und eines weiteren judäo-persischen Fragments, von Aurel Stein in Dandan Oilik bei Khotan gefunden, besitzen wir keinen greifbaren Beweis für die Anwesenheit von Juden in China vor dem 12. Jahrhundert und der Gründung der Synagoge in Kaifeng.

## Kunst und Moden

Die Seidenstraße, auf der sowohl Waren als auch Ideen zirkulierten, war auch der Weg, auf dem Formen und Stile, Moden und Gebräuche überliefert wurden. Es erübrigt sich, auf die Verschmelzung, die die gräko-buddhistische Kunst aus Gandhara repräsentiert, nochmals einzugehen. Hervorzuheben sind jedoch die Umwandlungsprozesse, die sie bei der Ausbreitung des Buddhismus in Zentralasien und China durchmacht. In Zentralasien treffen

*Die Hofdamen unter den Tang wetteiferten in der Übernahme aus Persien eingeführter Moden.*

*Buddha, Bingling si, Höhle 172. Dynastie der westlichen Wei, 6. Jahrhundert.*

*Gespannwagen, Wuwei (Gansu). Dynastie der Späteren Han, 1.–3. Jahrhundert.*

nicht nur verschiedene Zivilisationen aufeinander, sondern dort nehmen auch stilistische Einflüsse auf die Kunst Zentralchinas ihren Ausgang. Seit die archäologischen Missionen zu Beginn des 20. Jahrhunderts Großartiges zutage förderten, sind die Kunsthistoriker damit beschäftigt, den indischen, kutchanischen, iranischen, syrischen uns anderen Einflüssen auf die Malereien und Skulpturen von Miran, Bamiyan, Kutcha, Pendijkent, Khotan, Turfan und Dunhuang nachzuspüren. Die Umwandlungen, die Gottheiten wie Avalokitesvara, der in China zu einer Göttin namens Guanyin wird, oder Vaisravana-Kubera sowohl in ihrer Ikonographie wie in ihren Funktionen erfahren, sind durchaus repräsentativ für die Mannigfaltigkeit der Einflüsse, die im Laufe der Zeiten über die Seidenstraße eingedrungen sind. Auch daß Maler aus Zentralasien nach China hereinkamen, wie Weichi Bozhina oder Weichi Yiseng, die in Khotan geboren wurden, war von großer Bedeutung.

Die durch das Hin und Her von Persern und Gütern auf der Seidenstraße nach China gelangten Einflüsse werden besonders spürbar unter der Tang-Dynastie. Während dieser Zeitspanne waren die Chinesen von allem, was von den Persern oder den Turkvölkern kam, geradezu bezaubert. Ein Beweis dafür sind die Motive zur Verzierung der Stoffe, die »gegenständige« Tiere darstellen. Es war eine Mode, die auf alle Bereiche des Alltags in den Hauptstädten übergriff, auf Kleidung, Küche, Musik und andere Gebiete:

»Im Palast wird die persische Musik hochgeschätzt, bei Tisch wird ranghohen Personen persische Küche serviert, und die Frauen wetteifern im Tragen persischer Gewänder.« Diese Schwärmerei für Exotisches verführte sogar den Prinzen Li Chenqian, Sohn des Kaisers Taizong, dazu, sich türkisch zu kleiden, mit Vorliebe türkisch anstatt chinesisch zu sprechen und innerhalb der Palastumfriedung ein türkisches Lager errichten zu lassen. In Chang'an galten persische Backwaren als Delikatesse. Kleidung, Schminke und Frisuren nach persischer oder türkischer Art machten unter der Regierung Xuanzong (712–756) Furore und bezauberten wohl auch die berühmte Konkubine Yang Guifei.

Nach der Niederschlagung der Sassaniden durch die Muslims im Jahre 651, hatte sich Prinz *Peroz* an den chinesischen Hof geflüchtet, um sich anschließend am Westrand Chinas niederzulassen. Er wollte dort die gestürzte Dynastie wieder aufbauen, hatte mit diesem Plan jedoch keinen Erfolg. Ein bei Hofe einflußreicher Mann ausländischer Herkunft wie An Lushan, spielte

*Szene aus einer Khotaner Legende. Holztäfelchen. Dandan Oilik. 7. Jahrhundert.*

*Decke der tausend Buddhas. Dunhuang, Höhle 390. Sui-Dynastie.*

*Buddha. Bezeklik, Höhle 37.*

*Bodhisattva. Dunhuang, Höhle 45. Dynastie Tang.*

*Apsara, Pipa spielend. Kizil, Höhle 8.*

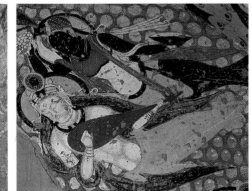

Bekehrung des Yaksa Atavika, Stupa von Sikri, Museum Lahore.

Buddha, das Gesetz predigend, Gandhara, Museum Peshawar.

Mandala vom Diamanten, Alchi Gompa, Ladakh.

Oben rechts: *Buddhastatue, Gandhara.*

*Flachrelief des Palastes von Xerxes, Persepolis.*

ebenfalls eine Rolle bei dieser Schwärmerei für alles Exotische. An Lushan, der zum Günstling des Kaisers Xuanzong avanciert war, stammte vermutlich aus Sogdien. Sein Name war nur die chinesische Transkription von Roxane.

Unter den Modeerscheinungen im Bereich der Künste, die von Kleinasien aus die chinesischen Hauptstädte eroberten, nahmen Musik und Tanz eine Vorrangstellung ein. Weisen aus Khocho, Kashgar, Buchara und Samarkand, aber auch aus Indien wurden von Musikanten gespielt, die mit ihren Instrumenten von dort gekommen waren: Flöten und Mundorgeln, Schlaginstrumente wie Gong und Pauke, Saiteninstrumente wie Harfen oder Lauten, von denen das bekannteste die Pipa iranischen Ursprungs ist.

Man könnte noch viele Beispiele anführen. Doch schon diese wenigen Schlaglichter auf den regen Austausch von spirituellen, technischen, kommerziellen und künstlerischen Gütern vermitteln ein Bild des regen Zusammenspiels von Ost und West, das durch die Handelswege, die man unter dem Begriff »Seidenstraße« zusammengefaßt hat, erst ermöglicht wurde.

*Ubal, Tochter Jabals. Hatra* (rechts).

*Anthropomorphes Ossuarium, Koy-Krylgan-Kala, Khorezm* (rechts).

*Masjid-i-Chah, Isfahan. 17. Jahrhundert.*

*Der Sonnengott, Hatra. Museum von Mossul.*

*2. Jahrhundert, Museum von Bagdad. Siegelprägung.*

Illustration eines Amitabha-Paradieses. Musiker und Tänzerinnen zieren den unteren Bildrand. Ihre Instrumente stammen häufig aus Zentralasien, Dunhuang, Höhle 112. Tang-Dynastie.

Die Kunst des Mosaiks, die auf den gräko-römischen und byzantinischen Mittelmeerraum beschränkt blieb, erreichte ihren Höhepunkt in Byzanz. Hier eine Christusgestalt über den Emporen der Hagia Sophia, Istanbul.

Balbal oder steinerner Mann von einer türkischen Grabstätte, Kirgisien.

Pferde und Damwild, in den Fels geritzt. Ferghana.

Harfenspieler, Pendjikent. 7.–8. Jahrhundert.

Deckel einer anthropomorphen sogdischen Ostheotek

# DIE WIEDERENTDECKTE STRASSE

Seewege ausgebaut, sowohl auf westlicher als auch auf chinesischer Seite. Dies verleiht der Schiffahrt einen ungeheuren Aufschwung und schmälert die Bedeutung der Karawanenstraßen als Handelswege erheblich. Allmählich vergißt man im Westen, was an diesen Knotenpunkten in früheren Zeiten alles ausgetauscht worden war, und so leben diese Kontakte aus fernen Zeiten erst am Ende des 19. Jahrhunderts wieder auf, als die großen Expeditionen zur Erforschung Turkestans einsetzen. Zunächst waren es geographische Forschungsexpeditionen, die die Russen und — auf dem Weg über Indien — die Engländer durchführten, denen archäologische Missionen aus fast allen großen, weltaufgeschlossenen Nationen folgten.

Anlaß für diese geographischen Expeditionen war zum einen die Eroberung der zentralasiatischen Königreiche durch Rußland in den Jahren nach 1850,

ser Epoche in Turkestan reisten, ist der berühmteste wohl der Russe Nikolaj M. Prjevalsky (1837—1888), der vier Expeditionen in diese Gegenden unternahm. Als er anläßlich einer dieser Missionen durch Suzhou in Gansu kam, hörte Prjevalsky zum ersten Mal von den »Höhlen der tausend Buddhas« bei Dunhuang. Er war es auch, der den Lop Nor-See wiederentdeckte, dessen Vorhandensein bezweifelt worden war und den seit Marco Polo kein Europäer mehr gesichtet hatte.

Bei seinen zahlreichen karthographischen, geologischen, astronomischen, meteorologischen und zoologischen Studien fiel Prjevalsky eine Rasse von Wildpferden auf, die im Altyn Tagh-Massiv beheimatet war. Dieses »Prjevalsky-Pferd« wurde weltberühmt: von Darwinschen Theorien gestützt, sah man in ihm sogleich das Urpferd, von dem alle anderen abstammen mußten. Die Zirkusunternehmen interessierten sich

Von links nach rechts: *Paul Pelliot, der Hüter der Höhlen von Dunhuang, Wang Yuanlu, Langdon Warner, P.K. Kozlov, Sven Hedin im Stadtanzug und im Forschergewand, Ōtani Kozui und Joseph Hackin.*

Als der erste Herrscher der Ming-Dynastie 1368 sein Amt antrat, hatte die Seidenstraße ihre Rolle als Verbindung zwischen der westlichen Welt und China gänzlich verloren. Dafür gab es mehrere Gründe: zum einen schottete China sich (eine Zeitlang) gegen die Außenwelt ab, zum andern setzten die gegen Mitte des 14. Jahrhunderts im Westen aufkommenden Widerstände der Handelstätigkeit der Niederlassungen am Schwarzen Meer Grenzen.

Das China der Ming ist zwar nicht völlig in sich abgeschlossen, denn mit Persien oder Rußland gibt es immer wieder Kontakte. Vor allem aber werden die

als in Khiva, Buchara und Khokand Protektorate errichtet oder kurz und bündig annektiert wurde, zum andern die Pläne Englands, das sich von seinen indischen Besitzungen aus für Turkestan interessierte. Sie wurden nicht zuletzt deswegen organisiert, um topographische Auskünfte zu erhalten und potentielle Feinde zu observieren. Einer der ersten englischen Reisenden dieser Zeit, der geographische Informationen sammelte, war William Johnson, der sich 1865 von Leh aus nach Khotan begab. Die Missionen Douglas Forsyths im Raum Kashgar, 1869 und 1873, waren eher politisch ausgerichtet. Von den zahlreichen Forschern, die zu die-

dafür, bis man sich der Tatsache bewußt wurde, daß besagte Pferde eigentlich weniger exotisch waren als man bislang angenommen hatte. Was die Geographie anbetraf, so zerbrachen sich die Forscher die Köpfe über die Senke von Turfan ebenso wie über das Bewässerungssystem durch unterirdische Kanäle, die Karez, die denjenigen, die man im Iran findet, ähneln.

Gegen Ende des 19. Jahrhunderts wurden die häufig von politischen oder militärischen Hintergedanken getragenen geographischen Expeditionen durch archäologische Missionen ergänzt. Vermutlich war dies ein Resultat der Expedition Captain Bowers im Jahre 1889. Dieser suchte nach dem Mörder Andrew Dalgleishs, der ebenfalls Forscher, aber auch Händler gewesen war und den man im Jahr zuvor am

Karakorum-Paß ermordet hatte. Während Bower sich in Kutcha aufhielt, erzählte ihm ein Türke von einer vergrabenen Stadt ganz in der Nähe, wo er als einzigen Schatz ein Buch gefunden hatte, das er ihm zeigte. Es waren mehrere lose Sanskrit-Blätter in Brahmi-Schriftzeichen auf Birkenrinde, die wahrscheinlich auf das 5. Jahrhundert zu datieren waren. Das nach Kalkutta geschickte Bower-Manuskript erweckte das Interesse des Indologen Rudolph Hoernle, der es entschlüsselte. Diese Entdeckung löste das Wettrennen von Russen und Engländern nach ähnlichen Gegenständen und Handschriften aus. Die in Kashgar ansässigen diplomatischen Vertreter, Nikolaj Petrovsky für die Russen, George Macartney für die Engländer, förderten diese Sammlertätigkeit. Auch die Franzosen waren mit J. Dutreuil de Rhins und Fernand Grenard mit von der Partie. Ihre vom Tod Dutreuil de Rhins' überschattete Mis-

aber vor allem dank seiner Reiseberichte Aufklärendes über die Forschungsexpeditionen in Turkestan. Sven Hedin hatte sich zunächst für den Iran interessiert. 1895 kämpfte er sich von Kashgar aus in östlicher Richtung durch die Taklamakan-Wüste auf Merket am Yarkand-Fluß hin vor, war dem Verdursten nahe, erreichte aber schließlich doch den Khotan-Fluß. Im Dezember des gleichen Jahres reiste er erneut von Kashgar aus nach Khotan. Schatzsucher hatten angeblich in einem Dorf namens Borasan (Yotkan) unter den Ruinen allerlei Funde gemacht. Sven Hedin entdeckte die Überreste einer versunkenen Stadt, die er Taklamakan (Dandan Oilik) nannte, und unternahm dort unsystematische Grabungen. Bei den Wandmalereien, die er genauer betrachtete, fiel ihm indischer, griechischer und persischer Einfluß auf. Nach einiger Zeit erreichte er den Kerya Darya, dessen Lauf er folgte, bis der

gen. Er durchquerte die Provinz Gansu und erreichte Urumqi und Samarkand. Von seiner Reise brachte er vor allem Prägeplatten mit, die von Edouard Chavannes ausgewertet wurden. Im gleichen Jahr finanzierte der König von Schweden Sven Hedins dritte Expedition. Diesmal wollte Hedin per Schiff den Yarkand-Fluß, und dann den Tarim bis zum Lop Nor hinunterfahren. Da der Fluß im Winter gefroren war, erforschte Hedin die Wüste gen Süden bis hin zur Oase Cherchen und entdeckte anschließend Loulan, die ehemalige, im 3. Jahrhundert unserer Zeitrechnung aufgegebene chinesische Garnison. Dort barg er 36 Handschriften auf Papier und 120 auf Holz.

Im gleichen Jahr (1899) fand in Rom der 12. Internationale Orientalisten-Kongreß statt, auf dem R. Hoernle und W. Radlov über die archäologischen Funde in Turkestan berichteten. Unter den im Raume Khotan gesammelten

sion zwischen 1890 und 1893 ermöglichte den Erwerb einiger auf das 6. und 7. Jahrhundert zu datierender Handschriften in Brahmi- und Kharoshthi-Schrift.

Das archäologische Interesse wuchs mehr und mehr. 1892 machte das Ehepaar Littledale auf der Suche nach wildlebenden Kamelen in Kutcha halt, wo sie sogenannte »Höhlen der Tausend Buddhas« in Augenschein nehmen konnten. 1894 besuchte Pietr K. Kozlov die »Höhlen der Tausend Buddhas« (Qianfo dong) bei Dunhuang. Es fiel ihm auf, daß etliche Statuen während des kurz zuvor erfolgten Moslemaufstands verstümmelt worden waren. Im folgenden Jahr trat der Schwede Sven Hedin (1865–1952) auf den Plan und brachte aus dem Raume Khotan einige Manuskriptfragmente mit. Er lieferte

Fluß sich im Wüstensand verlor. Auf dieser Reise streifte er auch die Ruinen von Karadong, einer anderen untergegangenen Stadt. Dann kehrte er nach Khotan zurück, um von dort aus nach Tibet aufzubrechen.

Schon bald wurden in immer kürzeren Abständen Dokumente und Gegenstände zutage gefördert. 1898 besuchte Dimitri Klementz die Ruinen von Karakhoja (chinesisch: Gaochang), Astana und Yarkhoto (chinesisch: Jiaohe) bei Turfan. Nachdem er 130 Höhlen untersucht hatte, löste er Wandmalereien ab, sammelte Manuskripte in Chinesisch und Sanskrit und machte zahlreiche Photos, die das Interesse der Gelehrten in aller Welt weckten. 1899 brach Charles-Etienne Bonin von Peking nach Ningxia auf. Sein Ziel war es, die ehemalige Seidenstraße der Antike zu verfol-

und über den britischen Botschaftsangehörigen Macartney Hoernle zugesandten Handschriften befanden sich Texte in längst vergessenen Sprachen, deren Schrift Hoernle zu entziffern vermocht hatte. In diese Sendung waren aber auch eine beachtliche Anzahl von Manuskripten und Holzstichen in einer gänzlich unbekannten Sprache und Schrift hineingeraten, die ein gewisser Islam Akhun, Schatzsucher und Lieferant Macartneys, entdeckt hatte. Obwohl schon bald Zweifel an ihrer Echtheit angemeldet wurden, erklärte Hoernle diese Manuskripte und Holzstiche für authentisch. Kurz danach, bei seiner ersten Expedition, entdeckte Aurel Stein die Wahrheit über diese »Prägungen«: sie waren Stück für Stück von Islam Akhun gefälscht worden.

Sir Aurel Stein (1862–1934), ungarischer Herkunft, unternahm seine erste Expedition zwischen 1900 und 1901, mit Unterstützung von Lord Curzon, dem Vizekönig von Indien. Er zog von Srinagar nach Kashgar und von dort nach Khotan. Mit seinen Grabungen begann er dort, wo Sven Hedin kurz zuvor gewesen war: in Dandan Oilik. Er entdeckte Wandmalereien, Skulpturen sowie Sanskrit-Handschriften in Brahmi und andere in einer unbekannten Sprache, die als Khotanisch gedeutet wurde, und darüber hinaus noch Dokumente wie Bittschriften, Berichte oder Verträge in Chinesisch, die auf das 8. Jahrhundert zurückgingen. Anschließend begab sich Stein nach Niya, wo er an einem einzigen Ort 85 Holztäfelchen mit Kharoshthī-Inschriften fand, und von dort aus, abermals den Spuren Sven Hedins folgend, nach Karadong, wo die Grabungen jedoch nichts zutage förderten. Nach seiner Rückkehr nach

um Karakhoja (Khocho) und Murtuk. Die Ausbeute war beachtlich, deshalb plante Grünwedel sofort weitere Missionen. 1904 unternahm eine zweite Expedition unter Albert von Le Coq (1860–1930), einem Mitarbeiter Grünwedels, weitere Grabungen in Karakhoja. Handschriften in verschiedenen Sprachen mit Bezügen zum Buddhismus, Nestorianismus und Manichäismus wurden entdeckt. Die Archäologen untersuchten auch noch die Stätten um Toyuk und Bezeklik und lösten in den Höhlen Wandmalereien ab, die sie nach Berlin schickten. Ein großer Teil dieser Funde ging im Zweiten Weltkrieg durch die Bombardierungen verloren.

Ihre dritte Expedition folgte der zweiten auf dem Fuße. Nachdem Grünwedel in Kashgar eintraf, tat er sich schon im Dezember 1905 mit Le Coq zusammen. Sie erforschten Tumsuq, dann Kumtura und Kizil bei Kutcha, Sorchuq bei Karashar und nochmals Turfan.

hatten. In Dunhuang kam Stein zu Ohren, der taoistische Priester Wang Yuanlu, der als Kustos der Höhlen fungierte, habe bei Restaurierungsarbeiten in einer der Höhlen eine große Anzahl seit langem versteckter alter Handschriften entdeckt. Nachdem der Fund den Behörden von Lanzhou gemeldet worden war, hatten diese geraten, das Versteck wieder zu schließen. Da der Kustos auf Reisen war, als Stein eintraf, machte dieser sich daran, das, was ihm nach einem Teilstück der Großen Mauer aussah, näher zu untersuchen. Er grub bei den Wachtürmen, die noch standen, und fand dort eine Menge Holztäfelchen aus der Zeit der Han-Dynastie. E. Chavannes entzifferte und wertete sie aus. Mit Hilfe dieser Holztäfelchen konnte das umfassende Kontrollsystem an den Grenzen des Han-Reiches, welches Stein später mit dem römischen Limes verglich, entschlüsselt werden.

Kashgar reiste er mit seinen Schätzen nach London und übergab sie dort dem British Museum.

Kurz darauf, zwischen 1902 und 1903, wird von Ōtani Kozui die erste japanische Expedition lanciert; er hatte in England von den Funden Aurel Steins gehört. Fast unmittelbar nach seiner Ankunft in Turkestan, mußte Ōtani nach Japan zurück. Er ließ zwei Assistenten dort, die vor allem die Stätten um Kutcha aufsuchten und ein paar archäologische Stücke mitnahmen. Zur gleichen Zeit brach die erste deutsche Expedition auf, da man auf dem Orientalistenkongreß allgemein hellhörig geworden war. Sie wurde von Albert Grünwedel (1856–1935), dem Leiter der Abteilung »Indische Kunst« des Berliner Ethnologischen Museums, angeführt. Ihr Ziel war Turfan, insbesondere die Stätten

Von 1906 bis 1907 führte Aurel Stein seine vom British Museum und der indischen Regierung finanzierte zweite Expedition durch. Er untersuchte zunächst die Stätten um Domoko und Rawak im Raum Khotan sowie anschließend Niya. Dort entdeckte er wiederum Handschriften und Textilien, und in Miran fielen ihm Handschriften in tibetischer Sprache in die Hände. In Loulan förderte er zahlreiche Manuskripte auf Papier und Holz zutage, die meisten in chinesischer Sprache, die aus dem 2. und 3. Jahrhundert stammten. Darauf begab er sich nach Dunhuang. Von der Existenz der »Höhlen der Tausend Buddhas«, rund fünfzehn Kilometer außerhalb der Stadt, wußte er seit 1879 durch Hinweise von Prjevalsky und Lajos de Loczy, die an einer österreich-ungarischen Expedition teilgenommen

Als der Kustos zurückkam, setzte Stein seine ganze Überredungskunst ein, um die versteckten Handschriften untersuchen zu dürfen. Da es sich erwies, daß beide, Stein und Wang Yuanlu, den berühmten Pilger Xuanzang verehrten, gewann Stein das Vertrauen des Kustos. Stein spendete großzügig für die Wiederherstellung einiger Höhlen, die der Kustos ebenso kühn wie laienhaft »restaurierte«, und handelte sich damit den Besitz von etwa tausend Handschriften bzw. Fragmenten, überwiegend in chinesischer und tibetischer Sprache, ein. Dazu kamen noch Malereien auf Hanfleinwand, Seide und Papier und allerlei Kultgegenstände. Im Zuge der gleichen Expedition begab sich Stein nach Turfan, wo die deutschen Expeditionen schon tätig gewesen waren, reiste dann nach Karashar weiter, durchquerte die Wüste Taklamakan in Richtung Karadong und Khotan, bevor er nach Norden gen Aksu zog, um wieder nach Khotan zurückzukehren.

Diese Rundreise hätte beinahe ein tragisches Ende genommen: weil sein rechter Fuß durch Erfrierungen abgestorben und ein Gangrän zu befürchten war, wurde er schleunigst nach Leh in Ladakh gebracht, wo ihm die Zehen amputiert wurden.

Fast zur gleichen Zeit reiste Paul Pelliot (1878–1945) als einziger Sinologe an der Spitze einer archäologischen Mission. Die Franzosen waren ins Hintertreffen geraten. Doch 1905 wurde auf Anregung von Emile Sénart eine Mission beschlossen, und Pelliot, damals Professor für Chinesisch an der Ecole française d'Extrême-Orient in Hanoi, wurde mit der Leitung betraut. 1906 machte er sich in Begleitung des Geographen Dr. Vaillant und des Naturfor-

ten Handschriften. Er erlangte schließlich Zutritt und durfte sie mit Genehmigung Wang Yuanlus genauer untersuchen.

Alles, was ihm interessant erschien, sonderte er aus: Handschriften in chinesischer und tibetischer Sprache, aber auch in Sanskrit, Sogdisch, Khotanisch, Uighur-Türkisch, die zwischen dem 5. und 10. Jahrhundert entstanden sein mußten, da die Nische vermutlich zu Beginn des 11. Jahrhunderts zugemauert worden war — und erst neun Jahrhunderte später wieder geöffnet wurde.

Die Verhandlungen mit Wang Yuanlu gestalteten sich langwierig, waren aber erfolgreich: Pelliot konnte über sechstausend Handschriften, ein paar Holzstiche und Malereien mitnehmen. Er erwarb aber auch noch einige Fragmente aus dem 13. und 14. Jahrhundert, in chinesischer und tangutischer Sprache geschrieben und gedruckt, die aus einer anderen Höhle stammten, sowie

Universitätsbibliothek aufbewahrt werden.

Eine zweite von Graf Ôtani organisierte Expedition fand 1908 mit Tachibana Zuichô an der Spitze statt. Er forschte in Turfan und Loulan, dann in Niya und Khotan, während sein Assistent Nomura Elizaburô in Kutcha grub. Doch weil der russisch-japanische Krieg von 1905 noch nicht lange zurücklag, wurde er von den Russen und auch von den Engländern schon bald für einen Spion gehalten. Ebenfalls 1908 grub Kozlov, der schon an mehreren Expeditionen Prjevalskys teilgenommen hatte, in Karakhoto, der verfallenen Stadt des ehemaligen Tanguten-Reichs Xixia (1035–1368). Von dort brachte er eine beachtliche Zahl Handschriften und Druckereierzeugnisse aus jener Zeit, in chinesischer und tangutischer Sprache, mit. Bevor Kozlov 1909 Petersburg erreichte, führte eine andere Expedition Sergej Oldenburg nach Karashar, Kutcha und Turfan, wo er vor allem Idikut Shari erforschte.

Im darauffolgenden Jahr (1910) kam Tachibana nochmals nach Loulan und anschließend nach Dunhuang. Dort erhielt er von Wang Yuanlu rund fünfhundert Handschriften. Der in Peking ausgegebene Erlaß scheint nicht oder nur teilweise befolgt worden zu sein: mehr als zehntausend chinesische Manuskripte (die tibetischen blieben an Ort und Stelle) wurden zwar nach Peking geschafft, doch einige entgingen dem Ausfuhrverbot und bereicherten somit die Expeditionsausbeute der Japaner sowie Steins und Oldenburgs. Ôtanis Sammlung wurde später unter China (Lüshun, Port-Arthur), Korea (Seoul) und Japan (Ryûkoko-Universität in Kyoto) aufgeteilt und ging vermutlich auch teilweise verloren.

1913 führte Stein eine dritte Expedition durch, die von der indischen Regierung finanziert wurde. Er kehrte nochmals nach Niya zurück, grub dann in Endere, Miran, Loulan und Dunhuang (wo er nochmals etliche hundert Manuskripte erwarb), anschließend im Raum Turfan und in Edsengol und Karakhoto, wo bereits Kozlov gegraben hatte. Kurz nach Steins Aufenthalt in Dunhuang erwarb Oldenburg dort 1914 einige hundert Manuskriptrollen und mehrere tausend ebenfalls aus der Höhle stammende Fragmente. Zur gleichen Zeit beendete A. von Le Coq die vierte deutsche Expedition in Kutcha (Subashi, Kumtura) und Tumshuk. Diese war jedoch aufgrund der angespannten Lage in Turkestan nicht ohne Schwierigkeiten verlaufen.

Die internationale Situation setzte den europäischen archäologischen Expeditionen ein Ende. Und als die

Von links nach rechts: *Albert von Le Coq, Albert Grünwedel, Tachibana Zuicho, Paul Pelliot, Alfred Foucher und der Fälscher Islam Akhun.*

schers und Photographen Charles Nouette auf den Weg. Er grub zunächst in Tumshuk und dann im Raume Kutcha, in Duldur-Aqur und Subashi. Während eines Aufenthalts in Urumqi schenkte ihm Herzog Lan, ein Vetter des in Xinjiang im Exil lebenden Kaisers, eine Handschrift, die aus den Höhlen von Dunhuang stammte. Dadurch wurden Gerüchte, man habe eine Höhle gefunden, die voller Handschriften sei, bestätigt. Pelliot gelangte im Februar 1908, fast ein Jahr nach Stein, nach Dunhuang. Er hielt sich dort vier Monate lang auf und untersuchte methodisch die rund fünfhundert Höhlen von Mogao. Nouette fotografierte jedes Detail, während Pelliot die Inschriften und die Kartuschen der Wandmalereien kopierte. Doch sein besonderes Augenmerk galt den im Versteck aufbewahr-

Drucktypen in Uighurisch. Nachdem alles verpackt, verladen und nach Peking geschickt worden war, sollte es von dort aus nach Frankreich transportiert werden. Ein paar Muster legte Pelliot in Peking jedoch chinesischen Gelehrten vor, die diese sofort kopieren, fotografieren und veröffentlichen ließen. Auf diese Enthüllung hin untersagten die Behörden unverzüglich jede weitere Ausfuhr von Handschriften.

Der Finne Carl G. Mannerheim, Oberst in der russischen Armee und später Präsident der Republik Finnland, hatte im Jahre 1906 Pelliot ein Stück Weges begleitet, obwohl er eher militärische Ziele verfolgte. Doch auch Pelliot brachte von seiner Mission mehrere hundert chinesische und uighurische Fragmente aus Khotan und Turfan nach Helsinki zurück, die in der dortigen

Lage für neue Unternehmungen wieder vielversprechender schien, konnten derartige Versuche nur noch unter chinesischer Kontrolle abgewickelt werden. Als 1923 Langdon Warner vom Fogg Art Museum in Harvard ebenfalls sein Glück versuchen wollte, mußte er erschwerte Bedingungen hinnehmen und sich mit einer mageren Ausbeute bescheiden. Seine Grabungen in Karakhoto ergaben so gut wie nichts. In Dunhuang mußte er feststellen, daß die Wandmalereien mehrerer Höhlen von den dem Sowjet-Regime entkommenen Weißrussen verwüstet worden waren. Schließlich löste er ein paar Bruchstücke von den Wänden, die er nach Amerika mitnahm. Für das gleiche Museum reiste auch Stein 1930 nochmals. Es wurde eine kurze Expedition, und das überwiegend aus Niya stammende archäologische Material ließ er in Kashgar zurück. Bei seiner letzten Expedition nach Afghanistan starb Stein im Alter von 82 Jahren.

Zwischen 1928 und 1934 fand eine großangelegte und diesmal motorisierte sino-schwedische Expedition unter Führung Sven Hedins statt. Doch Widerstand entstand der Mission durch die Unruhen, die ganz Turkestan erschütterten. Den größten Teil der Funde transportierte man zur Detail-Analyse nach Schweden, bevor er — im Prinzip — den chinesischen Behörden zurückerstattet wurde. Gleichzeitig fand die motorisierte Citroën-Expedition, die »Gelbe Expedition«, unter Führung von Haardt und Audouin-Dubreuil statt, an der auch der Paläontologe Teilhard de Chardin und der Archäologe J. Hackin teilnahmen. Dies war allerdings eher eine abenteuerliche Testfahrt für die Fahrzeuge als eine archäologische Expedition.

Zur gleichen Zeit, als all diese Turkestan-Expeditionen durchgeführt wurden, gruben die Archäologen natürlich auch in Zentralasien und den meisten Etappen der ehemaligen Seidenstraßen. Doch das wiederauflebende Interesse für diese Seidenstraßen hing sicherlich in erster Linie mit den Funden in Turkestan und im sowjetischen Teil Zentralasiens (Ak-beshim bei Frunze, Kuva in Ferghana, Adzhina-Tepe in Tadjikistan, Varakhsa bei Buchara, Pendjikent bei Samarkand etc.) zusammen. Der Zusammenhang mit den Forschungsgrabungen auf den weiter westlich gelegenen Abschnitten wie Palmyra oder Dura-Europos war für diese Expeditionen nur von geringer Bedeutung.

# ZEITTAFEL

| | |
|---|---|
| *327–325 v. Chr.* | Alexander der Große in Indien |
| *ca. 165 v. Chr.* | Auftauchen der Yuezhi in Zentralasien |
| *139–126 v. Chr.* | Reise des Zhang Qian nach Zentralasien |
| *104–100 v. Chr.* | Feldzüge Li Guanglis gegen Ferghana |
| *ca. 120 v. Chr.* | Entdeckung des Hippalos-Windes |
| *53 v. Chr.* | Schlacht bei Karrhä (Niederlage der Römer gegen die Parther) |
| *16 n. Chr.* | In Rom wird den Männern das Tragen von seidenen Gewändern verboten |
| *97* | Gan Ying reist als Abgesandter zum Römischen Reich |
| *166* | Die sogenannte »Antoninen-Gesandtschaft« |
| *226* | Ankunft von Kaufleuten aus Da Qin in China |
| *366* | Entstehung der ersten Grotten bei Dunhuang |
| *IV. Jh.* | Entstehung der Bingling si-Grotten |
| *399–412* | Reise Faxians nach Indien |
| *404–434* | Reise Zhimengs nach Indien |
| *420* | Abreise Fayongs nach Indien |
| *V. Jh. (?)* | Einführung der Seidenraupenzucht in Khotan |
| *518–522* | Reise Songyuns nach Indien |
| *Mitte VI. Jh.* | Einführung der Seidenraupenzucht in Konstantinopel |
| *567* | Der Sogder Maniakh reist als Gesandter nach Konstantinopel |
| *629–645* | Xuanzang bereist Zentralasien und Indien |
| *631* | Ankunft des Nestorianers Aluoben in Chang'an |
| *674* | Der letzte Sassaniden-Herrscher Peroz trifft am Hof von Chang'an ein |
| *671–695* | Reise Yijings nach Indien auf dem Seewege |
| *751* | Schlacht am Talas zwischen Chinesen und Arabern |
| *751–790* | Reise Wukongs nach Indien |
| *755–763* | Rebellion des aus Zentralasien stammenden chinesischen Generals An Lushan |
| *781* | Nestorianische Stele mit chinesischer und syrischer Inschrift in Chang'an |
| *ca. 815* | Reise Ibn Wahabs nach China |
| *845* | Die fremden Religionen werden in China verboten |
| *981–983* | Wang Yande reist als Gesandter nach Gaochang |
| *1221–1224* | Reise Chang Chuns in den Raum Samarkand |
| *1246–1247* | Johann von Plano Carpini reist nach Asien |
| *1249–1251* | André de Longjumeau reist nach Asien |
| *1253–1255* | Wilhelm von Rubruck reist nach Asien |
| *1259* | Chang De reist als Gesandter nach Bagdad |

| | |
|---|---|
| *1254–1269* | Maffeo und Nicolò Polo reisen nach Asien |
| *1271–1295* | Marco Polo bereist Asien |
| *1278* | Rabban bar Sauma und Marqus reisen gen Westen |
| *1287* | Rabban bar Sauma trifft in Paris ein |
| *1289* | Johannes von Monte-Corvino reist nach China |
| *1324–1330* | Oderich von Pordenone bereist Asien |
| *1340* | *La Pratica della Mercatura* von Pegolotti |
| *1398* | Chen Cheng reist als Gesandter nach Herat |
| *1419–1423* | Ghiyath eddin kommt als Gesandter nach China |
| *ca. 1500* | Sayyid Ali Khitayi weilt in China |
| *1603–1605* | Benedict de Goëz reist von Indien nach China |
| *1877* | entsteht die Bezeichnung »Seidenstraße« |
| *1890* | erste archäologische Expeditionen in Zentralasien |

# LITERATUR ZUM THEMA »SEIDENSTRASSE«*

| | |
|---|---|
| *Along the Ancient Silk Routes:* | Central Asien Art from the West Berlin State Museum New York 1982 |
| *Brentjes, B.:* | Mittelasien. Eine Kulturgeschichte der Völker zwischen Kaspischem Meer und Tien-Schan Leipzig 1977 |
| *Bussagli, M.:* | Die Malerei in Zentralasien Genf 1963 |
| *Dabbs, J. A.:* | History of the Discovery and Exploration of Chinese Turkestan The Hague 1963 |
| *Evans, E.:* | Francesco Balduccio Pegolotti. La Pratica della Mercatura Cambridge (Mass.) 1936 |
| *Gabain v., A.:* | Einführung in die Zentralasienkunde Darmstadt 1977 |
| *ders.:* | Der Buddhismus in Zentralasien Handbuch der Orientalistik, Bd. 8/2 Leiden 1961 |
| *Grünwedel, A.:* | Altbuddhistische Kultstätten in Chinesisch-Turkestan Berlin 1912 |
| *Hallade, M.:* | Indien. Gandhara, Begegnung zwischen Orient und Okzident Fribourg 1968 |
| *Haussig, H. W.:* | Die Geschichte Zentralasiens und der Seidenstraße in vorislamischer Zeit Darmstadt 1983 |
| *Hedin, S.:* | Die Seidenstraße Leipzig 1936 |
| *Herrmann, A.:* | Die alten Seidenstraßen zwischen China und Syrien o.O. 1910 |
| *Hopkirk, P.:* | Die Seidenstraße München 1986 |
| *Le Coq, A.:* | Auf Hellas Spuren in Ostturkestan Leipzig 1929, Nachdruck Graz 1974 |
| *Masson, V. M.:* | Das Land der tausend Städte. Die Wiederentdeckung der ältesten Kulturgebiete in Mittelasien München 1982 |
| *Myrdal, J.:* | Die Seidenstraße Wiesbaden 1981 |
| *Polo, M.:* | Il Milione. Die Wunder der Welt Zürich 1983 |

*(Auszug aus der vom Autor verwendeten Literatur)

| Stein, A.: | Geographische und Archäologische Forschungsreisen in Zentralasien 1906—09 Wien 1909 |
| Rowland, B.: | Reihe »Kunst der Welt«: Zentralasien Baden-Baden 1970 |
| The Silk Road an the Sea | Ausstellungskatalog Kobe 1982 |
| Waldschmidt, E.: | Gandhara, Kutscha, Turfan Leipzig 1925 |
| Yule, H.: | Cathay and the Way Thither, 4 Bde. London 1915 |
| Zorzi, A. (Hrsg.): | Marco Polo. Eine Biographie Düsseldorf 1981 |
| Zürcher, E.: | The Buddhist Conquest of China, 2 Bde. Leiden 1972 |

# BILDNACHWEIS

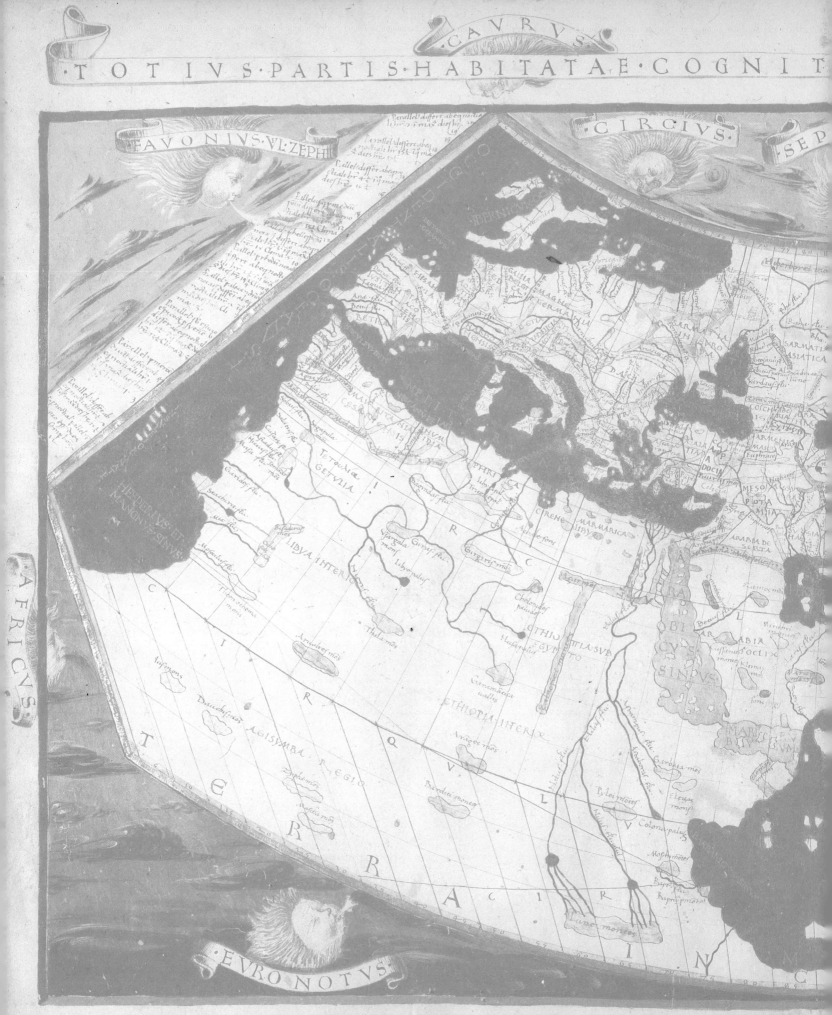